Petits Classiques
LAROUSSE

Collection fondée par Félix Guirand,
Agrégé des Lettres

La Double
Inconstance

Marivaux

Com

Édition présentée,
annotée et commentée
par Violaine GÉRAUD,
agrégée de lettres modernes,
professeur à l'université Lyon-III Jean-Moulin

© Éditions Larousse 2009
ISBN : 978-2-03-584440-8

SOMMAIRE

Avant d'aborder l'œuvre

La Double Inconstance

Marivaux

Pour approfondir

AVANT D'ABORDER
L'ŒUVRE

Fiche d'identité de l'auteur

Marivaux

Nom : Pierre Carlet de Chamblain de Marivaux ; il prend le nom de Marivaux à 49 ans.

Naissance : à Paris en 1688.

Famille : il est le fils d'un officier de marine qui deviendra directeur de la Monnaie de Riom, en Auvergne, où la famille s'installe alors que Marivaux est âgé de 11 ans.

Formation : à Riom, il est élève chez les Oratoriens, où il apprend le latin. Revenu à Paris, il fait des études de droit et loge chez son oncle, l'architecte du roi Pierre Bullet. Il deviendra avocat au parlement de Paris en 1721.

Début de sa carrière : après une comédie en un acte, *Le Père prudent et équitable*, il écrit des romans parodiques comme *Pharsamon ou les Folies romanesques*. Il prend part pour les Modernes dans la célèbre querelle des Anciens et des Modernes avec son *Télémaque travesti*.

Premiers succès : ruiné en 1720 par la banqueroute de Law, il cherche le succès au théâtre. Après l'échec d'une tragédie en vers, *Annibal*, il le trouve avec la Comédie-Italienne, troupe à laquelle il confie une première comédie, *Arlequin poli par l'amour*.

Publications majeures : son premier triomphe au théâtre est *La Surprise de l'amour*, en 1722, pièce par laquelle le marivaudage se met en place : jeu délicat où la tendresse le dispute à l'ironie. La consécration a lieu avec *Le Jeu de l'amour et du hasard* (1730) et *Les Fausses Confidences* (1737). Marivaux est auteur de romans comme *La Vie de Marianne* (1731-1741) et *Le Paysan parvenu* (1735). Il a aussi rédigé des journaux : *Le Spectateur français* (1721-1724), *l'Indigent philosophe* (1727).

Mort : le 12 février 1763, rue de Richelieu à Paris.

Portrait de Marivaux. Gravure de Claude Pougin de Saint Aubin, 1781.

Repères chronologiques

Vie et œuvre de Marivaux	Événements politiques et culturels
1668 **Naissance de Pierre Carlet, qui se fera appeler Marivaux, le 4 février.**	**1688** La Bruyère, *Les Caractères*. Racine, *Athalie*.
1698 Installation de la famille Carlet à Riom.	**1694** Naissance de Voltaire.
1710 **Pierre Carlet entre à l'école de droit de Paris.**	**1699** Mort de Racine.
1712 *Pharsamon* (roman), *le Père prudent et équitable* (comédie).	**1709** Lesage, *Turcaret*.
1713 *Les Effets surprenants de la sympathie* (roman).	**1712** Naissance de Rousseau.
1714 *La Voiture embourbée* (roman).	**1713** Naissance de Diderot. **Querelle des Anciens et des Modernes (jusqu'en 1715).**
1716 *L'Iliade travestie* (poème burlesque).	**1715** **Mort de Louis XIV, Louis XV a 5 ans.** **Philippe d'Orléans est Régent.**
1717 **Mariage avec Colombe Bollogne.**	**1716** Réouverture de la Comédie-Italienne.
1720 *Arlequin poli par l'amour.*	**1717** Watteau, *L'Embarquement pour Cythère*.
1721 Première feuille du *Spectateur français* (journal).	**1719** Du Bos, *Réflexions critiques sur la poésie et sur la peinture*.
1722 *La Surprise de l'amour* (Italiens).	**1720** Banqueroute de Law.
1723 **La Double Inconstance (Italiens).**	**1721** Montesquieu, *Les Lettres persanes*.
1724 *La Fausse Suivante* (Italiens).	**1723** **Mort du Régent. Début du règne de Louis XV.**
1725 *L'Île des esclaves* (Italiens).	**1725** Vivaldi, *Les Quatre Saisons*.

Vie et œuvre de Marivaux

1727
La Seconde Surprise de l'amour.
L'Île de la raison (Comédie-
Française). *L'Indigent philosophe*
(journal).

1729
La Nouvelle Colonie (comédie).

1730
Le Jeu de l'amour et du hasard
(Italiens).

1731
Début de *La Vie de Marianne.*

1732
Le Triomphe de l'amour (Italiens).

1733
L'Heureux Stratagème (Italiens).
Le Cabinet du philosophe.

1735
Le Paysan parvenu.
La Mère confidente (Italiens).

1736
Le Legs (Comédie-Française).

1737
Les Fausses Confidences (Italiens).

1740
L'Épreuve (Italiens).

1742
**Marivaux élu à l'Académie
française.**

1750
La Colonie (représentation privée).

1763
Mort de Marivaux.

Événements politiques et culturels

1726
Fleury, Premier ministre.

1731
Abbé Prévost, *Manon Lescaut.*

1735
Voltaire, *Les Lettres philosophiques.*

1737
Crébillon fils, *Les Égarements
du cœur et de l'esprit.*

1740
Guerre de la Succession d'Autriche.

1742
Arrivée de Rousseau à Paris.

1743
Mort de Fleury, gouvernement
personnel de Louis XV.

1750
Montesquieu, *L'Esprit des lois.*
Début de l'Encyclopédie.

1756
Guerre de Sept Ans
(jusqu'en 1763).

1758
Ministère Choiseul.
Rousseau, *Lettre à d'Alembert
sur les spectacles.*

1759
Rousseau, *La Nouvelle Héloïse.*
Voltaire, *Candide.*

1762
Fusion de la Comédie-Italienne
et de l'Opéra-Comique.

1763
Voltaire, *Traité sur la tolérance.*

Fiche d'identité de l'œuvre

La Double Inconstance

Genre :
comédie de mœurs.

Auteur :
Marivaux, XVIIIᵉ siècle.

Objets d'étude :
comique et comédie ;

le théâtre, texte
et représentation.

Registres :
comique, pathétique,
humoristique.

Structure :
comédie en trois actes.

Principaux personnages : Silvia et Arlequin sont
deux villageois un peu naïfs. Lélio est un prince
épris de Silvia et prêt à tout pour la conquérir.
Flaminia est la meneuse de jeu : elle met
sa science du cœur humain au service du prince.

Sujet : un prince, Lélio, fait enlever dans son
palais une villageoise, Silvia, qu'il veut épouser.
Mais Silvia aime un autre villageois un peu fruste,
Arlequin. Flaminia, tout en s'efforçant de séduire
Arlequin, aide le prince à conquérir Silvia.
Le prince se déguise en officier pour que cette
conquête ne soit pas seulement due à son rang.
Silvia et Arlequin cessent peu à peu de s'aimer
pour s'éprendre, l'une, du prince, l'autre,
de Flaminia. Cette double et mutuelle inconstance
donne son titre à la pièce.

Lectures de l'œuvre : quintessence du marivaudage,
cette pièce présente en simultané l'agonie
et la naissance de l'amour. L'étude de l'amour est
donc complète. La pièce est ambivalente : certains,
optimistes, l'interprètent comme le passage d'un
amour enfant à un véritable amour. D'autres, comme
« l'histoire élégante et gracieuse d'un crime »
(Anouilh).

Première représentation : par les comédiens-italiens,
le mardi 6 avril 1723.

Flaminia. Dessin de Bertall, 1878.

L'œuvre dans son siècle

De la mort de Louis XIV à la Régence

LOUIS XIV EST MORT EN 1715, libérant des forces que son absolutisme avait jusqu'alors contenues. La fin de règne du roi a été d'une grande rigueur morale : Louis XIV a épousé la dévote Mme de Maintenon. Grâce à Colbert, la France est devenue une monarchie rationalisée. Mais Louis XIV a beaucoup aimé la guerre, comme il l'aurait avoué sur son lit de mort. Cette guerre quasi permanente depuis 1660 a entraîné l'alourdissement du système fiscal. Avec la Régence s'ouvre une ère nouvelle, la Cour quitte Versailles pour Paris. Même l'absolutisme s'assouplit : le Régent règne avec un système de conseils appelé la « polysynodie », système qui finira avec l'arrivée de l'abbé Dubois aux affaires. La population augmente tout au long du siècle et passe de 21,5 millions en 1700 à plus de 28 millions en 1790. Les famines se raréfient, les terres sont mieux exploitées ; l'espérance de vie progresse avec l'hygiène et la médecine ; l'alphabétisation se répand ; la détente extérieure relance l'économie. On commence à utiliser des machines dans les manufactures : c'est le début de l'industrie. On assiste à la montée en puissance de certains roturiers qui s'enrichissent pour constituer la bourgeoisie, nouvelle classe montante assez forte pour menacer l'aristocratie. En 1720, la banqueroute de Law ruine Marivaux et ajoute au brassage social : ce banquier venu d'Écosse avait mis en place le premier système de papier-monnaie ; il aura aussi permis la colonisation de la Louisiane. Ainsi sommes-nous, au moment où Marivaux écrit *La Double Inconstance,* au début d'une ère nouvelle.

Le règne de Louis XV (1723-1774)

CE RÈGNE COMMENCE L'ANNÉE MÊME OÙ est représentée *La Double Inconstance* pour la première fois. Il est marqué par un ministère, celui du cardinal de Fleury, jusqu'en 1743. Le roi veut ensuite régner seul, même si certains de ses contemporains prétendent qu'il n'a que peu de goût pour la conduite de l'État. La France est pacifiée ; elle n'entrera à nouveau en guerre qu'en 1740 et jusqu'en 1748 (guerre de la Succession d'Autriche). L'opinion publique désapprouve la générosité dont fait montre le roi à l'égard de Mme de Pompadour, sa favorite. Le règne de Louis XV est aussi marqué par la guerre de Sept Ans (1756-1763), l'attentat de Damiens en 1757, l'expulsion des jésuites en 1764, la tentative de Maupeou de réformer les parlements. Louis XVI accède au trône en 1774.

Les nouvelles tensions sociales

AVEC LA MONTÉE EN PUISSANCE de la bourgeoisie, la société de l'Ancien Régime se trouve déstabilisée : au pouvoir aristocratique uniquement fondé sur les titres et la naissance s'oppose de plus en plus le pouvoir de l'argent que les bourgeois ont obtenu par leur mérite et leur travail. Le fait que la noblesse ne représente que 2 % de la population et qu'elle s'arroge tout le pouvoir politique ne va plus de soi. Des penseurs s'interrogent sur l'absolutisme royal, tel Montesquieu dans ses *Lettres persanes* (1721). Comme la noblesse ne peut travailler sans déroger, elle a en outre tendance à s'appauvrir. Sous la Régence, les mœurs se relâchent et de nombreux aristocrates deviennent des libertins. Crébillon fils a peint dans ses romans et ses dialogues des « petits-maîtres » : aristocrates qui se piquent d'être des « hommes à bonne fortune », autrement dit de multiplier les conquêtes féminines. Versac, le mentor de Meilcour dans *Les Égarements du cœur et de l'esprit,* incarne cette nouvelle immoralité des aristocrates que l'absence de guerre désœuvre et que le manque d'idéal corrompt. Plus tard dans le siècle, il appartient au vicomte de Valmont, en sa qualité de « roué », d'accomplir ce libertinage avec panache, en séduisant et en corrompant une jeune fille qui sort du couvent, Cécile, et une épouse dévote, la présidente de Tourvel, pour les perdre toutes deux.

Les théâtres parisiens dans la première moitié du XVIIIᵉ siècle

LES THÉÂTRES PRIVÉS SONT TRÈS À LA MODE dans les châteaux, les aristocrates se piquant de jouer la comédie. Le théâtre est aussi itinérant, installant ses tréteaux dans les foires, avec des marionnettes et des pantomimes destinées à divertir le peuple. Paris possède deux grandes troupes officielles. La première est la Comédie-Française, sise dans la salle du jeu de paume de l'Étoile. Cette salle a trois étages de loges au-dessus du parterre, ce dernier accueillant le peuple debout. Jusqu'en 1759, certains spectateurs privilégiés sont installés sur la scène, ce qui gêne considérablement le jeu des comédiens et leurs déplacements. Le public, en outre, n'est pas toujours silencieux. La seconde troupe officielle est celle de l'Opéra, installée au Palais-Royal : cette Académie royale de musique et de danse a eu pour premier directeur Lully. L'Opéra peut multiplier les changements de décors ; il dispose d'une machinerie complexe.

Le retour de la troupe des Italiens en 1716

Mais c'est pour les comédiens-italiens qu'écrit aussi Marivaux. Et c'est cette troupe qui a donné la première représentation de *La Double Inconstance*, en 1723. Les comédiens-italiens avaient été chassés par Louis XIV en 1697. Ils sont revenus en France en 1716, rappelés par le Régent, et se sont installés à l'hôtel de Bourgogne. Or, ces comédiens ont un jeu plus libre, plus vivant que les comédiens-français ; ils sont rompus à l'art de l'improvisation à partir d'un simple canevas dramatique. Cette tradition de la *commedia dell'arte* les rend capables d'occuper l'espace scénique, d'y développer des gestes, voire des acrobaties, d'y mettre en valeur des plaisanteries appelées « lazzi ». Ce jeu dynamique aura une influence décisive sur l'écriture théâtrale de Marivaux. De plus, les Italiens accueillent sans préjugé les pièces novatrices de Marivaux, qu'ils servent d'autant mieux qu'ils ignorent tout des conventions propres aux comédies du répertoire français. Le personnage d'Arlequin, dont chacun connaît le typique costume fait de pièces de tissus divers assemblées, est dans notre pièce un villageois amoureux. Ailleurs, nous le retrouverons en valet, dans *Le Jeu de l'amour et du hasard* notamment. Dans toutes les pièces il est gourmand et amateur de bon vin, vif d'esprit en même temps que naïf.

Marivaux, « spectateur français »

Au début de l'année 1721 Marivaux lance un périodique sur le modèle du *Spectator* anglais d'Addison et Steele. Le journal anglais ne fournit pas seulement à Marivaux une forme souple et discontinue, réceptive aux pensées moralistes sur les mœurs de son temps, il lui donne aussi l'exemple d'une liberté d'esprit, d'une volonté de se défaire des préjugés des hommes de son temps. Ce journal lui permet d'adopter une nouvelle position face à ses contemporains : celle d'un observateur à distance qui analyse le monde et refuse de se laisser prendre par ses vanités. Marivaux trouve dans cette nouvelle expérience d'écriture un regard distancié sur les hommes et le monde. Si, conformément à la tradition moraliste de La Rochefoucauld et de Pascal, il peint surtout l'amour-propre, ressort essentiel des relations humaines, il démontre aussi le rôle corrupteur de l'argent, le pacte des riches que protège la loi, leur mépris des plus pauvres. Il peint en outre l'inconstance des hommes et la détresse des jeunes filles abandonnées obligées de se prostituer pour survivre. Il est constamment sensible à la condition des hommes et des femmes de son temps. Cette analyse moraliste va nourrir son écriture théâtrale et en inspirer les thèmes récurrents : la fragilité du sentiment amoureux, l'essentielle coquetterie des femmes, l'ambiguïté des intentions, la difficulté à toujours clairement distinguer le bien du mal en matière de conquête amoureuse.

Le thème de l'inconstance et l'esprit de la Régence

On peut donner à l'argument de *La Double Inconstance* une signification sociologique : d'abord parce qu'elle montre un abus de pouvoir de la part d'un prince ; ensuite parce qu'elle rencontre une nouvelle vision de l'amour, ainsi décrite par les Goncourt dans *La Femme au xviiie siècle* : « Il était réservé au xviiie siècle de mettre dans l'amour le blasphème, la déloyauté, les plaisirs et les satisfactions sacrilèges d'une comédie. Il fallait que l'amour devînt une tactique, la passion un art, l'attendrissement un piège, le désir lui-même un masque. » Dans notre pièce comme dans les romans libertins de Crébillon fils, l'amour n'est pas seulement l'effet surprenant d'une mystérieuse sympathie, ce peut aussi être le fruit d'une savante manipulation, l'aboutissement d'une stratégie perverse exécutée de sang-froid. Flaminia met en effet au service du prince son esprit manœuvrier et ses talents de séductrice. La double inconstance qu'elle suscite n'est pas sans rappeler la corruption des mœurs à la mode chez les aristocrates de la Régence de Philippe d'Orléans (1715-1723). Les historiens ont souligné le goût du Régent pour les plaisirs et le libertinage. Marivaux, avec cette pièce ambiguë, pourrait, dans une certaine mesure, annoncer *Les Liaisons dangereuses* de Laclos. Dans ce célèbre roman épistolaire, deux aristocrates, le vicomte de Valmont et la marquise de Merteuil pervertissent des jeunes gens naïfs et épris l'un de l'autre : Cécile Volanges et le chevalier Danceny. Ils les mènent pareillement à une double inconstance. Mais il est difficile de savoir quel regard Marivaux porte sur sa pièce : la conçoit-il comme une

L'œuvre dans son siècle

satire sociale, ou donne-t-il raison à Flaminia et à Lélio de tout mettre en œuvre pour réaliser leur désir ?

Marivaux, utopiste

Devenu journaliste, Marivaux s'interroge sur l'ordonnancement de la société et sur les injustices que subissent les plus faibles. Dans son théâtre, ce sont ses pièces utopiques qui donneront une forme spectaculaire à ces questionnements. *L'Île des esclaves,* datée de 1725, témoigne de cette remise en cause des hiérarchies et des clivages qu'impose le rang. Sur une île grecque, des valets ont pris le pouvoir sur leurs maîtres. Ces derniers doivent les servir : les nouveaux maîtres se montrent aussi injustes et cruels qu'ont été leurs anciens maîtres à leur égard. Cette pièce ne cherche pas à changer l'ordre établi, mais à attirer l'attention du public sur le sort des valets : privés d'identité (leurs maîtres les rebaptisent, souvent à partir du nom de leur province d'origine, d'où le « Bourguignon » du *Jeu de l'amour et du hasard*), revêtus de la livrée de leurs maîtres, ils sont souvent les esclaves des désirs de ces derniers. Marivaux voudrait qu'ils soient toujours traités avec bonté. C'est pourquoi ils imposent à des maîtres l'épreuve de devenir valets. D'une manière générale, Marivaux cherche à rendre les hommes meilleurs, ce dont témoigne une autre utopie, *L'Île de la raison* (1727). Inspirée des *Voyages de Gulliver* de Jonathan Swift (1726), cette île est habitée par des géants et des hommes minuscules qui grandissent au fur et à mesure qu'ils progressent en raison. Il est à noter que les aristocrates ont bien plus de mal à grandir que les paysans ! Enfin, une dernière utopie embrasse la cause des femmes : *La Nouvelle Colonie ou la Ligue des femmes* (1729). Cette fois, ce sont les femmes qui ont renversé la hiérarchie qui les soumet aux hommes. Elles veulent participer à la vie politique. Tout, là encore, retrouvera sa place, mais les hommes auront compris la leçon : il faut respecter les femmes. Dans ces trois utopies, Marivaux, en précurseur des Lumières, s'interroge sur l'ordonnancement de la société. Une société qu'il cherche à harmoniser, non à transformer de fond et comble.

Marivaux et l'idée de bonheur

S'il est une idée nouvelle au XVIIIe siècle, une idée que la tradition chrétienne avait bannie, c'est celle du bonheur, qu'il s'agit, dans les comédies marivaldiennes, de trouver dans l'amour et le mariage. Dans les comédies de Molière, les pères décidaient seuls des partis que devaient épouser leurs enfants. Pour une fille, la désobéissance était passible du couvent. Rien de tel chez Marivaux, où on assiste à la mise en place du mariage d'inclination. Les pères laissent leur enfants décider, comme on le voit par exemple dans *Le Jeu de l'amour et du hasard* : c'est que le mariage forcé est forcément malheureux. Or, le bonheur est désormais sur terre, et non réservé à la vie éternelle. En 1736, dans un poème intitulé « Le mondain », Voltaire ose déclarer : « Le paradis terrestre est où je suis. » C'est l'idée du bonheur qui invite aussi à se préoccuper du progrès et à rêver d'un monde meilleur.

Marivaux, précurseur des Lumières

La Révolution française est encore loin, mais la lucidité des grands écrivains préfigure dès le début du XVIIIe siècle le grand bouleversement qui permettra aux hommes d'accéder à leur majorité en apprenant à penser par eux-mêmes. Marivaux voudrait que la société soit plus conforme à son idéal humaniste inspiré par une foi catholique ouverte et tolérante. Le dramaturge témoigne là encore de l'esprit de son temps : Philippe d'Orléans s'était montré tolérant et les persécutions religieuses avaient disparu au cours de sa régence : catholiques, protestants et jansénistes vivaient en bonne intelligence. Les interrogations de Marivaux sont souvent proches de celles de Montesquieu, dont *Les Lettres persanes* datent de 1721. Montesquieu réfléchit sur le pouvoir et sur ses abus, sans être convaincu que la république soit le meilleur des systèmes politiques : il exige en effet, plus qu'un autre régime, la vertu de tous. Quant à la monarchie, elle tend toujours vers le despotisme et doit, par conséquent, être éclairée, tempérée par des parlements forts. Montesquieu est aussi un analyste de l'amour, qu'il conçoit comme une passion dangereuse contre laquelle l'intelligence peine à lutter : Usbek a beau devenir un homme éclairé au travers des réflexions qu'il livre sur le monde occidental, il redevient, lorsqu'il pense à ses femmes emmurées dans son sérail, un homme soumis à d'obscures et irrationnelles traditions. Ces clairs-obscurs habitent aussi les grandes œuvres de Marivaux.

Lire l'œuvre aujourd'hui

Une pièce noire et rose à la fois

Ce qui fait de *La Double Inconstance* une pièce résolument moderne, c'est son ambiguïté morale, le fait qu'on puisse la lire comme un conte de fées où une villageoise, presque une bergère, épouse un prince charmant, ou au contraire comme une pièce noire, immorale. Flaminia est une meneuse de jeu pour le moins obscure et troublante : elle n'hésite pas à mettre en œuvre son intelligence du cœur humain pour détruire un bel amour réciproque, celui de Silvia et Arlequin. Dans *La Répétition ou l'Amour puni*, Anouilh présente sombrement *La Double Inconstance* : « l'histoire élégante et gracieuse d'un crime ». Flaminia, qui n'hésite pas à séduire Arlequin, est-elle seulement attirée par la bonne mine du jeune homme ? On ne peut ignorer la générosité du prince, qui donnera une belle situation financière à celle qui lui aura permis de réaliser son bonheur. Quant au prince, il abuse de son pouvoir en enlevant une jeune fille déjà fiancée : c'est une action qui heurte la morale. Ensuite, alors qu'il la séquestre en son palais, il achète sa conscience en lui offrant de beaux atours, en flattant sa coquetterie. Parallèlement, il corrompt Arlequin par les plaisirs de la table, car il s'aperçoit que le jeune homme est très gourmand... Certes, la pièce finit bien puisque, comme il est de règle dans une comédie, elle est conclue par un mariage et même par un double mariage faisant suite à une double inconstance. Mais les moyens par lesquels cette double inconstance a été inspirée aux jeunes premiers sont immoraux. Et il est peut-être difficile d'admettre qu'en matière de sentiments la fin puisse justifier les moyens. En même temps, le prince se montre délicat, puisqu'il conquiert Silvia sous l'identité usurpée d'un officier qui lui fait une cour des plus distinguées. Le prince, par une attitude et des discours toujours élégants, parvient à séduire le public autant que Silvia. C'est donc de concert avec la jeune héroïne que le public est finalement heureux de ce nouvel amour qui triomphe au dénouement, un amour tellement plus irradiant que le naïf amour renié ! En fait, *La Double Inconstance* est l'analyse, sans préjugés, de la mort d'un amour naïf et de la naissance d'un nouvel amour plus mature.

Une analyse attentive de la fugacité du désir

La modernité de *La Double Inconstance* tient aussi et surtout au fait qu'elle analyse les aléas du désir. Or, si les sociétés changent, le désir, quels que soient l'époque et le lieu où l'on vit, est toujours une grande révolution intérieure, une extraordinaire aventure où l'on se perd pour mieux se trouver, une histoire qui peut-être s'écrit par-delà le bien et le mal et nous conduit parfois à remettre en cause les catégories qu'a stabilisées notre raison. Dans cette pièce, Marivaux met en jeu une double dynamique, celle d'un désamour et celle, typique du marivaudage, d'une naissance de l'amour : mort et renaissance du capricieux désir. Assez vite, Silvia s'éprend du bel officier qu'elle a rencontré par hasard et qu'elle ignore être le prince. Mais elle résiste à cet amour parce qu'elle s'est engagée auprès d'Arlequin, et qu'il est toujours difficile de changer d'objet de désir. L'infidélité n'est jamais tout à fait un choix, c'est aussi souvent une force qui vous traverse, presque un déterminisme qui surpasse la volonté en s'imposant comme une nouvelle évidence à la conscience. C'est ce que constate Silvia dans la scène 8 de l'acte III, alors qu'elle se confie en ces termes à Flaminia : « Quand ce serait un malheur, qu'y ferais-je ? Lorsque je l'ai aimé, c'était un amour qui m'était venu ; à cette heure je ne l'aime plus, c'est un amour qui s'en est allé ; il est venu sans mon avis, il s'en retourne de même ; je ne crois pas être blâmable. » Marivaux, parce qu'il connaît mieux que personne le cœur humain, parce qu'il en respecte la nature, sait que ni la raison ni la morale ne peuvent empêcher un désir d'éclore ni un amour de triompher. Notre monde actuel, avec la multiplication des divorces et la liberté des mœurs, donne raison à Marivaux lorsqu'il peint le désir comme une force capricieuse sur laquelle la volonté des hommes et des femmes n'a pas prise. Marivaux croyait-il possible que l'amour durât toute une vie ? Ce n'est pas en tout cas ce qui l'a intéressé dans ses œuvres. Dans *La Vie de Marianne,* l'héroïne est victime de l'inconstance de Valville. Le Jacob du *Paysan parvenu* ne se montre guère fidèle ; il réussit même à s'élever dans la société grâce aux femmes, en suscitant leur désir. Dans son théâtre, Marivaux s'intéresse surtout à la complexe naissance du sentiment amoureux, aux multiples façons dont les amoureux résistent à ce qui les surprend et les bouleverse. Mais le dénouement n'est pas véritablement le mariage, qui ferait entrer le désir dans le cadre trop étroit d'un contrat social. La pièce se dénoue par l'échange des aveux. L'action s'achève au moment où les amants se déclarent mutuellement la vérité de leur cœur.

Marivaux. Estampe de Bertall, 1879.

La Double Inconstance

Marivaux

Comédie en trois actes
représentée pour la première fois
par les comédiens-italiens,
le mardi 6 avril 1723

À Madame la Marquise de Prie[1]

MADAME,

On ne verra point ici ce tas d'éloges dont les épîtres dédicatoires[2] sont ordinairement chargées ; à quoi servent-ils ? Le peu de cas que le public en fait devrait en corriger ceux qui les donnent, et en dégoûter ceux qui les reçoivent. Je serais pourtant bien tenté de vous louer d'une chose, Madame, et c'est d'avoir véritablement craint que je ne vous louasse ; mais ce seul éloge que je vous donnerais, il est si distingué qu'il aurait tout l'air ici d'un présent[3] de flatteur, surtout s'adressant à une dame de votre âge, à qui la nature n'a rien épargné de tout ce qui peut inviter l'amour-propre à n'être point modeste. J'en reviens donc, Madame, au seul motif que j'ai en vous offrant ce petit ouvrage ; c'est de vous remercier du plaisir que vous y avez pris, ou plutôt de la vanité que vous m'avez donnée, quand vous m'avez dit qu'il vous avait plu. Vous dirai-je tout ? Je suis charmé d'apprendre à toutes les personnes de goût qu'il a votre suffrage ; en vous disant cela, je vous proteste[4] que je n'ai nul dessein de louer votre esprit ; c'est seulement vous avouer que je pense aux intérêts du mien. Je suis avec un profond respect,

MADAME,
Votre très humble et très obéissant serviteur,
D. M.

---

1. **Marquise de Prie :** fille d'un grand financier de la fin du règne de Louis XIV, maîtresse du Premier ministre le duc de Bourbon.
2. **Épîtres dédicatoires :** lettres par lesquelles on dédie une œuvre à un protecteur, dédicaces telles que celle que nous sommes en train de lire et que Marivaux adresse à la marquise de Prie.
3. **Un présent :** un cadeau.
4. **Je vous proteste :** je vous assure.

Personnages

LE PRINCE.

UN SEIGNEUR.

FLAMINIA   *fille d'un domestique du prince.*

LISETTE   *sœur de Flaminia.*

SILVIA   *aimée du prince et d'Arlequin.*

ARLEQUIN.

TRIVELIN   *officier du palais.*

DES LAQUAIS.

DES FILLES DE CHAMBRE.

La scène est dans le palais du prince.

ACTE I

Scène 1   SILVIA, TRIVELIN *et quelques femmes de la suite de Silvia.*

Silvia paraît sortir comme fâchée.

TRIVELIN. Mais, Madame, écoutez-moi.

SILVIA. Vous m'ennuyez.

TRIVELIN. Ne faut-il pas être raisonnable ?

SILVIA, *impatiente.* Non, il ne faut point l'être, et je ne le serai
point.

TRIVELIN. Cependant…

SILVIA, *avec colère.* Cependant, je ne veux point avoir de raison ; et
quand vous recommenceriez cinquante fois votre « cependant », je
n'en veux point avoir : que ferez-vous là[1] ?

TRIVELIN. Vous avez soupé hier si légèrement, que vous serez
malade si vous ne prenez rien ce matin.

SILVIA. Et moi, je hais la santé, et je suis bien aise d'être malade.
Ainsi, vous n'avez qu'à renvoyer tout ce qu'on apporte ; car je ne
veux aujourd'hui ni déjeuner, ni dîner, ni souper ; demain la même
chose ; je ne veux qu'être fâchée, vous haïr tous autant que vous
êtes, jusqu'à tant que[2] j'aie vu Arlequin, dont on m'a séparée. Voilà
mes petites résolutions, et si vous voulez que je devienne folle,
vous n'avez qu'à me prêcher[3] d'être plus raisonnable. Cela sera
bientôt fait.

TRIVELIN. Ma foi, je ne m'y jouerai pas[4], je vois bien que vous me
tiendriez parole. Si j'osais cependant…

---

1. **Là :** alors.
2. **Jusqu'à tant que :** jusqu'à ce que.
3. **Me prêcher :** chercher à me convaincre.
4. **Je ne m'y jouerai pas :** je ne m'y risquerai pas.

SILVIA, *plus en colère.* Eh bien ! ne voilà-t-il pas encore un « cependant » ?

TRIVELIN. En vérité, je vous demande pardon, celui-là m'est échappé[1], mais je n'en dirai plus, je me corrigerai ; je vous prierai seulement de considérer...

SILVIA. Oh ! vous ne vous corrigez pas ; voilà des considérations qui ne me conviennent point non plus.

TRIVELIN, *continuant.* ... que c'est votre souverain qui vous aime.

SILVIA. Je ne l'empêche pas, il est le maître ; mais faut-il que je l'aime, moi ? Non ; et il ne le faut pas, parce que je ne le puis pas : cela va tout seul[2], un enfant le verrait, et vous ne le voyez pas.

TRIVELIN. Songez que c'est sur vous qu'il fait tomber le choix qu'il doit faire d'une épouse entre ses sujettes.

SILVIA. Qui est-ce qui lui a dit de me choisir ? M'a-t-il demandé mon avis ? S'il m'avait dit : « Me voulez-vous, Silvia ? » je lui aurais répondu : « Non, Seigneur ; il faut qu'une honnête femme aime son mari, et je ne pourrais pas vous aimer. » Voilà la pure raison, cela ; mais point du tout, il m'aime, crac, il m'enlève, sans me demander si je le trouverai bon.

TRIVELIN. Il ne vous enlève que pour vous donner la main[3].

SILVIA. Eh ! que veut-il que je fasse de cette main, si je n'ai pas envie d'avancer la mienne pour la prendre ? Force-t-on les gens à recevoir des présents malgré eux ?

TRIVELIN. Voyez, depuis deux jours que vous êtes ici, comment il vous traite : n'êtes-vous pas déjà servie comme si vous étiez sa femme ? Voyez les honneurs qu'il vous fait rendre, le nombre de femmes qui sont à votre suite, les amusements qu'on tâche de vous procurer par ses ordres. Qu'est-ce qu'Arlequin au prix d'un prince plein d'égards, qui ne veut pas même se montrer qu'on ne vous ait disposée à le voir[4] ? D'un prince jeune, aimable et rempli

---

1. **M'est échappé :** m'a échappé.
2. **Cela va tout seul :** cela va de soi.
3. **Pour vous donner la main :** pour vous donner sa main, pour vous épouser.
4. **Qu'on ne vous ait disposée à le voir :** qu'on ne vous ait préparée à le voir.

d'amour, car vous le trouverez tel ? Eh ! Madame, ouvrez les yeux, voyez votre fortune[1], et profitez de ses faveurs.

SILVIA. Dites-moi, vous et toutes celles qui me parlent, vous
55 a-t-on mis avec moi, vous a-t-on payés pour m'impatienter[2], pour me tenir des discours qui n'ont pas le sens commun[3], qui me font pitié ?

TRIVELIN. Oh ! parbleu ! je n'en sais pas davantage ; voilà tout l'esprit que j'ai.

60 **SILVIA.** Sur ce pied-là[4], vous seriez tout aussi avancé de n'en point avoir du tout.

TRIVELIN. Mais encore, daignez, s'il vous plaît, me dire en quoi je me trompe.

SILVIA, *en se tournant vivement de son côté.* Oui, je vais vous le dire
65 en quoi, oui…

TRIVELIN. Eh ! doucement, Madame ! Mon dessein n'est pas de vous fâcher.

SILVIA. Vous êtes donc bien maladroit !

TRIVELIN. Je suis votre serviteur.

70 **SILVIA.** Eh bien ! mon serviteur, qui me vantez tant les honneurs que j'ai ici, qu'ai-je affaire de ces quatre ou cinq fainéantes qui m'espionnent toujours ? On m'ôte mon amant[5], et on me rend des femmes à la place ; ne voilà-t-il pas un beau dédommagement ? Et on veut que je sois heureuse avec cela ! Que m'importe toute cette
75 musique, ces concerts et cette danse dont on croit me régaler[6] ? Arlequin chantait mieux que tout cela, et j'aime mieux danser moi-même que de voir danser les autres, entendez-vous ? Une bourgeoise contente dans un petit village, vaut mieux qu'une princesse qui pleure dans un bel appartement. Si le prince est si tendre,
80 ce n'est pas ma faute ; je n'ai pas été le chercher ; pourquoi m'a-

---

1. **Fortune :** chance.
2. **M'impatienter :** me faire perdre patience, m'énerver.
3. **Qui n'ont pas le sens commun :** qui manquent de bon sens.
4. **Sur ce pied-là :** dans ces conditions.
5. **Amant :** amoureux (aimé en retour).
6. **Régaler :** amuser.

t-il vue ? S'il est jeune et aimable, tant mieux pour lui ; j'en suis bien aise. Qu'il garde tout cela pour ses pareils, et qu'il me laisse mon pauvre Arlequin, qui n'est pas plus gros monsieur que je suis grosse dame[1], pas plus riche que moi, pas plus glorieux que moi, pas mieux logé ; qui m'aime sans façon, que j'aime de même, et que je mourrai de chagrin de ne pas voir. Hélas ! le pauvre enfant, qu'en aura-t-on fait ? Qu'est-il devenu ? Il se désespère quelque part, j'en suis sûre ; car il a le cœur si bon ! Peut-être aussi qu'on le maltraite… *(Elle se dérange de sa place.)* Je suis outrée ; tenez, voulez-vous me faire un plaisir ? Ôtez-vous de là ; je ne puis vous souffrir[2] ; laissez-moi m'affliger en repos.

TRIVELIN. Le compliment est court, mais il est net ; tranquillisez-vous pourtant, Madame.

SILVIA. Sortez sans me répondre, cela vaudra mieux.

TRIVELIN. Encore une fois, calmez-vous. Vous voulez Arlequin, il viendra incessamment[3] ; on est allé le chercher.

SILVIA, *avec un soupir.* Je le verrai donc ?

TRIVELIN. Et vous lui parlerez aussi.

SILVIA, *s'en allant.* Je vais l'attendre ; mais si vous me trompez, je ne veux plus ni voir ni entendre personne.
Pendant qu'elle sort, le prince et Flaminia entrent d'un autre côté et la regardent sortir.

---

1. **Pas plus gros monsieur que je suis grosse dame :** pas plus grand monsieur que je suis grande dame (du point de vue de l'importance sociale).
2. **Souffrir :** supporter.
3. **Incessamment :** très bientôt.

Clefs d'analyse

Compréhension

Une scène de dispute

- Dire si les deux personnages présents sur scène sont d'accord.
- Commenter l'état d'esprit de Silvia.
- Expliquer les raisons de la colère de Silvia.

Une scène d'exposition

- Dire quelle est la fonction de Trivelin, par rapport au prince et par rapport à Silvia.
- Relever les termes qui manifestent l'amour de Silvia pour Arlequin.
- Rechercher les expressions les plus vives de l'injustice que Silvia subit.

Réflexion

Un abus de pouvoir

- Expliquer en quoi la situation dans laquelle est Silvia heurte la morale.
- Relever les expressions par lesquelles Silvia défend sa propre morale avec conviction.

Silvia, naïvement spirituelle

- Commenter le jeu sur l'adverbe « cependant » (lignes 6 à 11, 21 à 23).
- Dire par quels moyens Marivaux renforce la vivacité dynamique des répliques de Silvia.
- Relever des expressions appartenant à un registre populaire dans la bouche de Silvia.

> ### À retenir
> En 1723, une scène d'exposition cherche autant à plaire qu'à informer. La scène de dispute renseigne les spectateurs sur un rythme alerte. Nous y découvrons Silvia luttant de toutes ses forces contre l'autorité injuste et invisible du prince.

Clefs d'analyse

Scène 2 LE PRINCE, FLAMINIA, TRIVELIN

LE PRINCE, *à Trivelin*. Eh bien ! as-tu quelque espérance à me donner ? Que dit-elle ?

TRIVELIN. Ce qu'elle dit, Seigneur, ma foi, ce n'est pas la peine de le répéter ; il n'y a rien encore qui mérite votre curiosité.

5 **LE PRINCE.** N'importe ; dis toujours.

TRIVELIN. Eh non, Seigneur ; ce sont de petites bagatelles[1] dont le récit vous ennuierait ; tendresse pour Arlequin, impatience de le rejoindre, nulle envie de vous connaître, désir violent de ne vous point voir, et force haine[2] pour nous : voilà l'abrégé de ses disposi-
10 tions. Vous voyez bien que cela n'est point réjouissant ; et franchement, si j'osais dire ma pensée, le meilleur serait de la remettre où on l'a prise.
Le prince rêve tristement.

FLAMINIA. J'ai déjà dit la même chose au prince ; mais cela est
15 inutile. Aussi continuons, et ne songeons qu'à détruire l'amour de Silvia pour Arlequin.

TRIVELIN. Mon sentiment à moi est qu'il y a quelque chose d'extraordinaire dans cette fille-là ; refuser ce qu'elle refuse, cela n'est point naturel ; ce n'est point là une femme, voyez-vous ; c'est
20 quelque créature d'une espèce à nous inconnue ; avec une femme, nous irions notre train[3], celle-ci nous arrête ; cela nous avertit d'un prodige[4] ; n'allons pas plus loin.

LE PRINCE. Et c'est ce prodige qui augmente encore l'amour que j'ai conçu pour elle.

25 **FLAMINIA**, *en riant*. Eh ! Seigneur, ne l'écoutez pas avec son prodige, cela est bon dans un conte de fée ; je connais mon sexe[5] : il

---

1. **Bagatelles :** choses sans importance.
2. **Force haine :** beaucoup de haine.
3. **Nous irions notre train :** les choses suivraient leur cours.
4. **Un prodige :** une chose extraordinaire.
5. **Mon sexe :** les femmes.

n'a rien de prodigieux que sa coquetterie[1]. Du côté de l'ambition, Silvia n'est point en prise[2] ; mais elle a un cœur, et par conséquent de la vanité ; avec cela, je saurai bien la ranger à son devoir de
30 femme. Est-on allé chercher Arlequin ?

TRIVELIN. Oui, je l'attends.

LE PRINCE, *d'un air inquiet.* Je vous avoue, Flaminia, que nous risquons beaucoup à lui montrer son amant : sa tendresse pour lui n'en deviendra que plus forte.

35 **TRIVELIN.** Oui ; mais si elle ne le voit, l'esprit lui tournera[3], j'en ai sa parole.

FLAMINIA. Seigneur, je vous ai déjà dit qu'Arlequin nous était nécessaire.

LE PRINCE. Oui, qu'on l'arrête[4] autant qu'on pourra ; vous pouvez
40 lui promettre que je le comblerai de biens et de faveurs, s'il veut en épouser une autre que sa maîtresse[5].

TRIVELIN. Il n'y a qu'à réduire[6] ce drôle-là, s'il ne veut pas.

LE PRINCE. Non ; la loi, qui veut que j'épouse une de mes sujettes, me défend d'user de violence contre qui que ce soit.

45 **FLAMINIA.** Vous avez raison. Soyez tranquille, j'espère que tout se fera à l'amiable ; Silvia vous connaît déjà, sans savoir que vous êtes le prince, n'est-il pas vrai ?

LE PRINCE. Je vous ai dit qu'un jour à la chasse, écarté de ma troupe, je la rencontrai près de sa maison ; j'avais soif, elle alla me
50 chercher à boire : je fus enchanté de sa beauté et de sa simpli-cité, et je lui en fis l'aveu. Je l'ai vue cinq ou six fois de la même manière, comme simple officier du palais ; mais quoiqu'elle m'ait traité avec beaucoup de douceur, je n'ai pu la faire renoncer à Arlequin, qui m'a surpris deux fois avec elle.

---

1. **Coquetterie :** envie de séduire.
2. **En prise :** attachée (Silvia est libre de toute ambition).
3. **L'esprit lui tournera :** elle perdra l'esprit.
4. **Qu'on l'arrête :** qu'on l'empêche, qu'on le gêne.
5. **Maîtresse :** femme aimée.
6. **Réduire :** réduire à l'impuissance, soumettre.

55 **FLAMINIA.** Il faut mettre à profit l'ignorance où elle est de votre rang. On l'a déjà prévenue que vous ne la verriez pas sitôt[1] ; je me charge du reste, pourvu que vous vouliez bien agir comme je voudrai.

LE PRINCE, *en s'en allant.* J'y consens. Si vous m'acquérez le
60 cœur de Silvia, il n'est rien que vous ne deviez attendre de ma reconnaissance.
Il sort.

FLAMINIA. Toi, Trivelin, va-t'en dire à ma sœur qu'elle tarde trop à venir.

65 **TRIVELIN.** Il n'est pas besoin, la voilà qui entre ; adieu, je vais au-devant d'Arlequin.

Scène 3 LISETTE, FLAMINIA

LISETTE. Je viens recevoir tes ordres : que me veux-tu ?

FLAMINIA. Approche un peu, que je te regarde.

LISETTE. Tiens, vois à ton aise.

FLAMINIA, *après l'avoir regardée.* Oui-da[2], tu es jolie aujourd'hui.

5 **LISETTE,** *en riant.* Je le sais bien : mais qu'est-ce que cela te fait ?

FLAMINIA. Ôte cette mouche galante[3] que tu as là.

LISETTE, *refusant.* Je ne saurais[4] ; mon miroir me l'a recommandée.

---

1. **Sitôt :** sur-le-champ.
2. **Oui-da :** oui, assurément.
3. **Mouche galante :** la mouche est un petit morceau de velours noir que les dames plaçaient sur leur visage ou leur décolleté pour faire ressortir la blancheur de leur peau. L'épithète correspondait à l'endroit où on la posait. ; une mouche « galante » est placée au milieu de la joue.
4. **Je ne saurais :** je ne le pourrais pas.

FLAMINIA. Il le faut, te dis-je.

LISETTE, *en tirant sa boîte à miroir, et ôtant la mouche.* Quel meurtre !
10 Pourquoi persécutes-tu ma mouche ?

FLAMINIA. J'ai mes raisons pour cela. Or çà[1], Lisette, tu es grande et bien faite.

LISETTE. C'est le sentiment de bien des gens.

FLAMINIA. Tu aimes à plaire ?

15 **LISETTE.** C'est mon faible.

FLAMINIA. Saurais-tu avec une adresse naïve et modeste inspirer un tendre penchant à quelqu'un, en lui témoignant d'en avoir pour lui, et le tout pour une bonne fin[2] ?

LISETTE. Mais j'en reviens à ma mouche, elle me paraît nécessaire
20 à l'expédition que tu me proposes.

FLAMINIA. N'oublieras-tu jamais ta mouche ? Non, elle n'est pas nécessaire : il s'agit d'un homme simple, d'un villageois sans expérience, qui s'imagine que nous autres femmes d'ici sommes obligées d'être aussi modestes[3] que les femmes de son village. Oh !
25 la modestie de ces femmes-là n'est pas faite comme la nôtre ; nous avons des dispenses[4] qui les scandaliseraient. Ainsi ne regrette plus ces mouches, et mets-en la valeur dans tes manières ; c'est de ces manières dont je te parle ; je te demande si tu sauras les avoir comme il faut ? Voyons, que lui diras-tu ?

30 **LISETTE.** Mais, je lui dirai… Que lui dirais-tu, toi ?

FLAMINIA. Écoute-moi, point d'air coquet d'abord. Par exemple, on voit dans ta petite contenance[5] un dessein de plaire[6], oh ! il faut en effacer cela ; tu mets je ne sais quoi d'étourdi et de vif dans ton geste, quelquefois c'est du nonchalant, du tendre, du mignard[7] ;

---

1. **Or çà :** dis-moi.
2. **Une bonne fin :** une fin heureuse.
3. **Modestes :** effacées, discrètes.
4. **Dispenses :** autorisations, libertés d'agir.
5. **Contenance :** maintien, allure, manière de se tenir.
6. **Un dessein de plaire :** un désir de plaire.
7. **Mignard :** exagérément délicat.

tes yeux veulent être fripons[1], veulent attendrir, veulent frapper, font mille singeries ; ta tête est légère ; ton menton porte au vent[2] ; tu cours après un air jeune, galant et dissipé. Parles-tu aux gens, leur réponds-tu, tu prends de certains tons, tu te sers d'un certain langage, et le tout finement relevé de saillies[3] folles. Oh ! toutes ces petites impertinences-là sont très jolies dans une fille du monde ; il est décidé que ce sont des grâces ; le cœur des hommes s'est tourné comme cela, voilà qui est fini. Mais ici il faut, s'il te plaît, faire main basse sur[4] tous ces agréments-là : le petit homme en question ne les approuverait point ; il n'a pas le goût si fort, lui. Tiens, c'est tout comme un homme qui n'aurait jamais bu que de belles eaux bien claires, le vin ou l'eau-de-vie ne lui plairaient pas.

LISETTE, *étonnée.* Mais, de la façon dont tu arranges mes agréments, je ne les trouve pas si jolis que tu dis.

FLAMINIA, *d'un air naïf.* Bon ! c'est que je les examine, moi, voilà pourquoi ils deviennent ridicules ; mais tu es en sûreté de la part[5] des hommes.

LISETTE. Que mettrai-je donc à la place de ces impertinences que j'ai ?

FLAMINIA. Rien ; tu laisseras aller tes regards comme ils iraient si ta coquetterie les laissait en repos ; ta tête comme elle se tiendrait, si tu ne songeais pas à lui donner des airs évaporés[6] ; et ta contenance tout comme elle est quand personne ne te regarde. Pour essayer, donne-moi quelque échantillon de ton savoir-faire, regarde-moi d'un air ingénu.

LISETTE, *se tournant.* Tiens, ce regard-là est-il bon ?

FLAMINIA. Hum ! il a encore besoin de quelque correction.

---

1. **Fripons :** coquins, malicieux.
2. **Ton menton porte au vent :** ton attitude est dédaigneuse.
3. **Saillies :** subtilités, traits d'esprit.
4. **Faire main basse sur :** faire disparaître.
5. **De la part :** au sujet, en ce qui concerne.
6. **Évaporés :** étourdis, insouciants.

LISETTE. Oh ! dame ! veux-tu que je te dise ? Tu n'es qu'une femme, est-ce que cela anime[1] ? Laissons cela, car tu m'emporterais la fleur de mon rôle[2]. C'est pour Arlequin, n'est-ce-pas ?

65 **FLAMINIA.** Pour lui-même.

LISETTE. Mais, le pauvre garçon ! si je ne l'aime pas, je le tromperai ; je suis fille d'honneur, et je m'en fais un scrupule.

FLAMINIA. S'il vient à t'aimer, tu l'épouseras, et cela te fera ta fortune ; as-tu encore des scrupules ? Tu n'es, non plus que moi[3], que
70 la fille d'un domestique du prince, et tu deviendras grande dame.

LISETTE. Oh ! voilà ma conscience en repos, et en ce cas-là, si je l'épouse, il n'est pas nécessaire que je l'aime. Adieu, tu n'as qu'à m'avertir quand il sera temps de commencer.

FLAMINIA. Je me retire aussi ; car voilà Arlequin qu'on amène.

---

1. **Anime :** motive.
2. **La fleur de mon rôle :** ce qu'il y a de meilleur dans mon rôle.
3. **Non plus que moi :** comme moi.

Clefs d'analyse

Compréhension

Suite de l'exposition

- Dire qui prend la direction de l'action à la scène 2.
- Rechercher les motivations de Flaminia.
- Préciser quelle mission Flaminia confie à sa sœur Lisette.

Lisette et sa mouche

- Dire ce que représente la mouche, dans la scène 3.
- Faire rapidement le portrait physique et moral de Lisette.

Réflexion

Flaminia meneuse de jeu fine mouche

- Relever les termes qui montrent que Flaminia ne doute pas de sa réussite.
- Préciser quel est son plan pour favoriser les amours du prince.

La satire d'une société qui donne la primauté au paraître

- Montrer en quoi le jeu avec la mouche est source de comique dans la scène 3.
- Dire comment apparaît la cour, au travers du personnage de Lisette.
- Préciser ce qui oppose Flaminia à sa sœur Lisette et ce qui les rapproche.

> ### À retenir
> Marivaux a toujours été fasciné par la coquetterie féminine. La coquetterie est pour lui attachée à la nature féminine. Silvia a beau être une paysanne naïve, elle se montrera elle aussi coquette. Mais les artifices de Lisette, par leur excès, sont trop éloignés de la nature pour mériter la tendresse de notre dramaturge.

Clefs d'analyse

Scène 4 ARLEQUIN, TRIVELIN

Arlequin regarde Trivelin et tout l'appartement avec étonnement.

TRIVELIN. Eh bien ! Seigneur Arlequin, comment vous trouvez-vous ici ? *(Arlequin ne dit mot.)* N'est-il pas vrai que voilà une belle maison.

ARLEQUIN. Que diantre ! qu'est-ce que cette maison-là et moi
5 avons affaire ensemble ? Qu'est-ce que c'est que vous ? Que me voulez-vous ? Où allons-nous ?

TRIVELIN. Je suis un honnête homme, à présent votre domestique ; je ne veux que vous servir ; et nous n'allons pas plus loin.

ARLEQUIN. Honnête homme ou fripon[1], je n'ai que faire de vous,
10 je vous donne votre congé, et je m'en retourne.

TRIVELIN, *l'arrêtant.* Doucement !

ARLEQUIN. Parlez donc[2] ; hé, vous êtes bien impertinent d'arrêter votre maître !

TRIVELIN. C'est un plus grand maître que vous qui vous a fait le
15 mien.

ARLEQUIN. Qui est donc cet original-là, qui me donne des valets malgré moi ?

TRIVELIN. Quand vous le connaîtrez, vous parlerez autrement. Expliquons-nous à présent.

20 **ARLEQUIN.** Est-ce que nous avons quelque chose à nous dire ?

TRIVELIN. Oui, sur Silvia.

ARLEQUIN, *charmé, et vivement.* Ah ! Silvia ! hélas, je vous demande pardon ; voyez ce que c'est, je ne savais pas que j'avais à vous parler.

25 **TRIVELIN.** Vous l'avez perdue depuis deux jours ?

---

1. **Fripon :** voleur.
2. **Parlez donc :** dites donc.

ARLEQUIN. Oui : des voleurs me l'ont dérobée.

TRIVELIN. Ce ne sont pas des voleurs.

ARLEQUIN. Enfin, si ce ne sont pas des voleurs, ce sont toujours des fripons.

TRIVELIN. Je sais où elle est.

ARLEQUIN, *charmé, et le caressant.* Vous savez où elle est, mon ami, mon valet, mon maître, mon tout ce qu'il vous plaira ? Que je suis fâché de n'être pas riche, je vous donnerais tous mes revenus pour gages[1]. Dites, l'honnête homme, de quel côté faut-il tourner ? Est-ce à droite, à gauche, ou tout devant moi ?

TRIVELIN. Vous la verrez ici.

ARLEQUIN, *charmé et d'un air doux.* Mais quand j'y songe, il faut que vous soyez bien bon, bien obligeant pour m'amener ici comme vous faites ? Ô Silvia, chère enfant de mon âme, m'amie[2], je pleure de joie !

TRIVELIN, *à part les premiers mots.* De la façon dont ce drôle-là prélude[3], il ne nous promet rien de bon. Écoutez, j'ai bien autre chose à vous dire.

ARLEQUIN, *le pressant.* Allons d'abord voir Silvia ; prenez pitié de mon impatience.

TRIVELIN. Je vous dis que vous la verrez ; mais il faut que je vous entretienne auparavant. Vous souvenez-vous d'un certain cavalier qui a rendu cinq ou six visites à Silvia, et que vous avez vu avec elle ?

ARLEQUIN, *triste.* Oui, il avait la mine d'un hypocrite.

TRIVELIN. Cet homme-là a trouvé votre maîtresse fort aimable.

ARLEQUIN. Pardi ! il n'a rien trouvé de nouveau.

TRIVELIN. Il en a fait au prince un récit qui l'a enchanté.

ARLEQUIN. Le babillard[4] !

---

1. **Gages :** revenus d'un domestique.
2. **M'amie :** vient de « ma amie », avec élision du possessif.
3. **Prélude :** commence.
4. **Babillard :** bavard.

55 **TRIVELIN.** Le prince a voulu la voir, et a donné l'ordre qu'on l'amenât ici.

ARLEQUIN. Mais il me la rendra, comme cela est juste ?

TRIVELIN. Hum ! il y a une petite difficulté ; il en est devenu amoureux et souhaiterait d'en être aimé à son tour.

60 **ARLEQUIN.** Son tour ne peut pas venir ; c'est moi qu'elle aime.

TRIVELIN. Vous n'allez point au fait ; écoutez jusqu'au bout.

ARLEQUIN, *haussant le ton*. Mais le voilà, le bout ; est-ce que l'on veut me chicaner[1] mon bon droit ?

TRIVELIN. Vous savez que le prince doit se choisir une femme
65 dans ses États ?

ARLEQUIN. Je ne sais point cela ; cela m'est inutile.

TRIVELIN. Je vous l'apprends.

ARLEQUIN, *brusquement.* Je ne me soucie pas de nouvelles.

TRIVELIN. Silvia plaît donc au prince, et il voudrait lui plaire avant
70 que de[2] l'épouser. L'amour qu'elle a pour vous fait obstacle à celui qu'il tâche de lui donner pour lui.

ARLEQUIN. Qu'il fasse donc l'amour[3] ailleurs : car il n'aurait que la femme, moi j'aurais le cœur ; il nous manquerait quelque chose à l'un et à l'autre, et nous serions tous trois mal à notre aise.

75 **TRIVELIN.** Vous avez raison ; mais ne voyez-vous pas que, si vous épousiez Silvia, le prince resterait malheureux ?

ARLEQUIN, *après avoir rêvé*. À la vérité, il serait d'abord un peu triste ; mais il aura fait le devoir d'un brave homme, et cela console. Au lieu que, s'il l'épouse, il fera pleurer ce pauvre enfant ;
80 je pleurerai aussi, moi, il n'y aura que lui qui rira, et il n'y a point de plaisir à rire tout seul.

TRIVELIN. Seigneur Arlequin, croyez-moi, faites quelque chose pour votre maître ; il ne peut se résoudre à quitter Silvia. Je vous dirai même qu'on lui a prédit l'aventure qui la lui a fait connaître,

---

1. **Chicaner :** contester.
2. **Avant que de :** avant de.
3. **Qu'il fasse donc l'amour :** qu'il fasse donc sa cour.

5 et qu'elle doit être sa femme ; il faut que cela arrive ; cela est écrit là-haut.

ARLEQUIN. Là-haut on n'écrit pas de telles impertinences ; pour marque de cela[1], si on avait prédit que je dois vous assommer, vous tuer par derrière, trouveriez-vous bon que j'accomplisse la
10 prédiction ?

TRIVELIN. Non, vraiment ! il ne faut jamais faire de mal à personne.

ARLEQUIN. Eh bien ! c'est ma mort qu'on a prédite ; ainsi c'est prédire rien qui vaille, et dans tout cela, il n'y a que l'astrologue à pendre.

15 **TRIVELIN.** Eh ! morbleu[2], on ne prétend pas vous faire du mal ; nous avons ici d'aimables filles ; épousez-en une, vous y trouverez votre avantage.

ARLEQUIN. Oui-da ! que je me marie à une autre, afin de mettre Silvia en colère et qu'elle porte son amitié[3] ailleurs ! Oh, oh ! mon
20 mignon, combien vous a-t-on donné pour m'attraper[4] ? Allez, mon fils, vous n'êtes qu'un butor[5], gardez vos filles, nous ne nous accommoderons pas[6] ; vous êtes trop cher.

TRIVELIN. Savez-vous bien que le mariage que je vous propose vous acquerra l'amitié du prince ?

25 **ARLEQUIN.** Bon ! mon ami ne serait pas seulement mon camarade.

TRIVELIN. Mais les richesses que vous promet cette amitié...

ARLEQUIN. On n'a que faire de toutes ces babioles-là, quand on se porte bien, qu'on a bon appétit et de quoi vivre.

TRIVELIN. Vous ignorez le prix de ce que vous refusez.

30 **ARLEQUIN,** *d'un air négligent.* C'est à cause de cela que je n'y perds rien.

TRIVELIN. Maison à la ville, maison à la campagne.

---

1. **Pour marque de cela :** pour preuve de cela.
2. **Morbleu :** juron qui vient de l'altération de « mort Dieu ».
3. **Amitié :** amour.
4. **M'attraper :** me piéger.
5. **Butor :** personnage lourdaud.
6. **Nous ne nous accommoderons pas :** nous ne serons pas d'accord.

ARLEQUIN. Ah ! que cela est beau ! il n'y a qu'une chose qui m'embarrasse ; qui est-ce qui habitera ma maison de ville, quand
115 je serai à ma maison de campagne ?

TRIVELIN. Parbleu, vos valets !

ARLEQUIN. Mes valets ? Qu'ai-je besoin de faire fortune pour ces canailles-là ? Je ne pourrai donc pas les habiter toutes à la fois ?

TRIVELIN, *riant.* Non, que je pense[1] ; vous ne serez pas en deux
120 endroits en même temps.

ARLEQUIN. Eh bien, innocent que vous êtes, si je n'ai pas ce secret-là, il est inutile d'avoir deux maisons.

TRIVELIN. Quand il vous plaira, vous irez de l'une à l'autre.

ARLEQUIN. À ce compte, je donnerai donc ma maîtresse pour
125 avoir le plaisir de déménager souvent ?

TRIVELIN. Mais rien ne vous touche ; vous êtes bien étrange ! Cependant tout le monde est charmé d'avoir de grands appartements, nombre de domestiques...

ARLEQUIN. Il ne me faut qu'une chambre ; je n'aime point à nour-
130 rir des fainéants, et je ne trouverai point de valet plus fidèle, plus affectionné à mon service que moi.

TRIVELIN. Je conviens que vous ne serez point en danger de mettre ce domestique-là dehors ; mais ne seriez-vous pas sensible au plaisir d'avoir un bon équipage, un bon carrosse, sans parler de l'agré-
135 ment d'être meublé superbement ?

ARLEQUIN. Vous êtes un grand nigaud, mon ami, de faire entrer Silvia en comparaison avec des meubles, un carrosse et des chevaux qui le traînent ! Dites-moi, fait-on autre chose dans sa maison que s'asseoir, prendre ses repas et se coucher ? Eh bien ! avec un
140 bon lit, une bonne table, une douzaine de chaises de paille, ne suis-je pas bien meublé ? N'ai-je pas toutes mes commodités ? Oh ! mais je n'ai point de carrosse ? Eh bien, je ne verserai point[2] *(en montrant ses jambes)*. Ne voilà-t-il pas un équipage que ma mère m'a donné ? n'est-ce pas de bonnes jambes ? Eh ! morbleu, il n'y

---

1. **Que je pense :** à mon avis.
2. **Je ne verserai point :** mon carrosse ne se renversera pas.

145 a pas de raison à vous d'avoir une autre voiture que la mienne. Alerte, alerte, paresseux, laissez vos chevaux à tant d'honnêtes laboureurs qui n'en ont point ; cela nous fera du pain ; vous marcherez, et vous n'aurez pas les gouttes[1].

TRIVELIN. Têtubleu ![2] vous êtes vif ! Si l'on vous en croyait, on ne
150 pourrait fournir les hommes de souliers.

ARLEQUIN, *brusquement.* Ils porteraient des sabots. Mais je commence à m'ennuyer de tous vos comptes[3] ; vous m'avez promis de me montrer Silvia ; un honnête homme n'a que sa parole.

TRIVELIN. Un moment ; vous ne vous souciez ni d'honneurs, ni
155 de richesses, ni de belles maisons, ni de magnificence, ni de crédit[4], ni d'équipages...

ARLEQUIN. Il n'y a pas là pour un sol[5] de bonne marchandise.

TRIVELIN. La bonne chère[6] vous tenterait-elle ? Une cave remplie de vins exquis vous plairait-elle ? Seriez-vous bien aise d'avoir un
160 cuisinier qui vous apprêtât délicatement à manger, et en abondance ? Imaginez- vous ce qu'il y a de meilleur, de plus friand[7] en viande et en poisson ; vous l'aurez, et pour toute votre vie. *(Arlequin est quelque temps à répondre.)* Vous ne répondez rien ?

ARLEQUIN. Ce que vous me dites-là serait plus de mon goût que
165 tout le reste ; car je suis gourmand, je l'avoue ; mais j'ai encore plus d'amour que de gourmandise.

TRIVELIN. Allons, Seigneur Arlequin, faites-vous un sort heureux ; il ne s'agit seulement que de quitter une fille pour en prendre une autre.

170 **ARLEQUIN.** Non, non, je m'en tiens au bœuf et au vin de mon cru.

TRIVELIN. Que vous auriez bu de bon vin ! que vous auriez mangé de bons morceaux !

---

1. **Les gouttes :** maladies des articulations liées à l'abus de viande.
2. **Têtubleu !** juron qui vient de l'altération de « tête de Dieu ».
3. **Comptes :** lire « contes ».
4. **Crédit :** pouvoir, autorité, importance.
5. **Un sol :** un sou.
6. **La bonne chère :** la bonne nourriture.
7. **Friand :** exquis.

ARLEQUIN. J'en suis fâché, mais il n'y a rien à faire. Le cœur de Silvia est un morceau encore plus friand que tout cela. Voulez-vous me la montrer, ou ne le voulez-vous pas ?

TRIVELIN. Vous l'entretiendrez[1], soyez-en sûr ; mais il est encore un peu matin[2].

Scène 5 LISETTE, ARLEQUIN, TRIVELIN

LISETTE, *à Trivelin.* Je vous cherche partout, Monsieur Trivelin ; le prince vous demande.

TRIVELIN. Le prince me demande ? j'y cours ; mais tenez donc compagnie au Seigneur Arlequin pendant mon absence.

ARLEQUIN. Oh ! ce n'est pas la peine ; quand je suis seul, moi, je me fais compagnie[3].

TRIVELIN. Non, non ; vous pourriez vous ennuyer. Adieu ; je vous rejoindrai bientôt.
Trivelin sort.

---

1. **Vous l'entretiendrez :** vous lui parlerez.
2. **Un peu matin :** un peu trop tôt.
3. **Je me fais compagnie :** je me tiens à moi-même compagnie.

Scène 6 Arlequin, Lisette

ARLEQUIN, *se retirant au coin du théâtre.* Je gage[1] que voilà une éveillée[2] qui vient pour m'affriander d'elle[3]. Néant ![4]

LISETTE, *doucement.* C'est donc vous, Monsieur, qui êtes l'amant de Mademoiselle Silvia ?

5 **ARLEQUIN,** *froidement.* Oui.

LISETTE. C'est une très jolie fille.

ARLEQUIN, *du même ton.* Oui.

LISETTE. Tout le monde l'aime.

ARLEQUIN, *brusquement.* Tout le monde a tort.

10 **LISETTE.** Pourquoi cela, puisqu'elle le mérite ?

ARLEQUIN, *brusquement.* C'est qu'elle n'aimera personne que moi.

LISETTE. Je n'en doute pas, et je lui pardonne son attachement pour vous.

ARLEQUIN. À quoi cela sert-il, ce pardon-là ?

15 **LISETTE.** Je veux dire que je ne suis plus si surprise que je l'étais de son obstination à vous aimer.

ARLEQUIN. Et en vertu de quoi étiez-vous surprise ?

LISETTE. C'est qu'elle refuse un prince aimable.

ARLEQUIN. Et quand il serait aimable, cela empêche-t-il que je ne 20 le sois aussi, moi ?

LISETTE, *d'un air doux.* Non, mais enfin c'est un prince.

ARLEQUIN. Qu'importe ? en fait de fille, ce prince n'est pas plus avancé que moi.

---

1. **Je gage :** je parie.
2. **Une éveillée :** une fille délurée.
3. **M'affriander d'elle :** m'aguicher.
4. **Néant ! :** elle n'obtiendra rien !

LISETTE, *doucement.* À la bonne heure[1]. J'entends seulement qu'il
25 a des sujets et des États, et que, tout aimable que vous êtes, vous
n'en avez point.

ARLEQUIN. Vous me la baillez belle[2] avec vos sujets et vos États !
Si je n'ai point de sujets, je n'ai charge de personne ; et si tout va
bien, je m'en réjouis ; si tout va mal, ce n'est pas ma faute. Pour des
30 États, qu'on en ait ou qu'on n'en ait point, on n'en tient pas plus
de place, et cela ne rend ni plus beau, ni plus laid. Ainsi, de toutes
façons, vous étiez surprise à propos de rien.

LISETTE, *à part.* Voilà un vilain petit homme, je lui fais des compliments, et il me querelle[3] !

35 **ARLEQUIN,** *comme lui demandant ce qu'elle dit.* Hein ?

LISETTE. J'ai du malheur de ce que je vous dis ; et j'avoue qu'à
vous voir seulement, je me serais promis une conversation plus
douce.

ARLEQUIN. Dame ![4] Mademoiselle, il n'y a rien de si trompeur que
40 la mine des gens.

LISETTE. Il est vrai que la vôtre m'a trompée ; et voilà comme on a
souvent tort de se prévenir[5] en faveur de quelqu'un.

ARLEQUIN. Oh ! très tort ; mais que voulez-vous ? je n'ai pas
choisi ma physionomie.

45 **LISETTE,** *en le regardant, comme étonnée.* Non, je n'en saurais revenir quand je vous regarde.

ARLEQUIN. Me voilà pourtant, et il n'y a point de remède, je serai
toujours comme cela.

LISETTE, *d'un air un peu fâché.* Oh ! j'en suis persuadée.

50 **ARLEQUIN.** Par bonheur, vous ne vous en souciez guère ?

LISETTE. Pourquoi me demandez-vous cela ?

---

1. **À la bonne heure :** vous avez raison.
2. **Vous me la baillez belle :** vous me dites des choses étonnantes.
3. **Il me querelle :** il me cherche querelle.
4. **Dame ! :** certes !
5. **Se prévenir :** avoir des idées préconçues, se faire des idées sur.

ARLEQUIN. Eh ! pour le savoir.

LISETTE, *d'un air naturel.* Je serais bien sotte de vous dire la vérité là-dessus, et une fille doit se taire.

55 **ARLEQUIN,** *à part les premiers mots.* Comme elle y va ! Tenez, dans le fond, c'est dommage que vous soyez une si grande coquette[1].

LISETTE. Moi ?

ARLEQUIN. Vous-même.

LISETTE. Savez-vous bien qu'on n'a jamais dit pareille chose à une
60 femme, et que vous m'insultez ?

ARLEQUIN, *d'un air naïf.* Point du tout ; il n'y a point de mal à voir ce que les gens nous montrent. Ce n'est point moi qui ai tort de vous trouver coquette, c'est vous qui avez tort de l'être, Mademoiselle.

65 **LISETTE,** *d'un air un peu vif.* Mais par où voyez-vous donc que je la suis[2] ?

ARLEQUIN. Parce qu'il y a une heure que vous me dites des douceurs, et que vous prenez le tour[3] pour me dire que vous m'aimez. Écoutez, si vous m'aimez tout de bon[4], retirez-vous vite afin que
70 cela s'en aille ; car je suis pris, et naturellement je ne veux pas qu'une fille me fasse l'amour[5] la première ; c'est moi qui veux commencer à le faire à la fille ; cela est bien meilleur. Et si vous ne m'aimez pas... eh ! fi ! Mademoiselle, fi ! fi ![6]

LISETTE. Allez, allez, vous n'êtes qu'un visionnaire[7].

75 **ARLEQUIN.** Comment est-ce que les garçons, à la Cour, peuvent souffrir ces manières-là dans leurs maîtresses ? Par la morbleu ! qu'une femme est laide quand elle est coquette !

---

1. **Coquette :** fille ou femme très consciente de ses charmes et qui cherche à plaire à tout prix.
2. **Que je la suis :** que je suis coquette.
3. **Vous prenez le tour :** vous cherchez à me laisser entendre.
4. **Tout de bon :** pour de bon.
5. **Me fasse l'amour :** me fasse la cour.
6. **Fi ! :** interjection exprimant le mépris.
7. **Un visionnaire :** un illuminé, un fou ; personne qui a des visions (sens très péjoratif).

LISETTE. Mais, mon pauvre garçon, vous extravaguez[1].

ARLEQUIN. Vous parlez de Silvia : c'est cela qui[2] est aimable ! si je
80 vous contais notre amour, vous tomberiez dans l'admiration de sa
modestie. Les premiers jours il fallait voir comme elle se reculait
d'auprès de moi ; et puis elle reculait plus doucement ; puis, petit
à petit, elle ne reculait plus ; ensuite elle me regardait en cachette ;
et puis elle avait honte quand je l'avais vue faire, et puis moi j'avais
85 un plaisir de roi à voir sa honte ; ensuite j'attrapais sa main, qu'elle
me laissait prendre ; et puis elle était encore toute confuse ; et puis
je lui parlais ; ensuite elle ne me répondait rien, mais n'en pensait
pas moins ; ensuite elle me donnait des regards pour des paroles,
et puis des paroles qu'elle laissait aller sans y songer, parce que
90 son cœur allait plus vite qu'elle ; enfin, c'était un charme[3] ; aussi
j'étais comme fou. Et voilà ce qui s'appelle une fille ; mais vous ne
ressemblez point à Silvia.

LISETTE. En vérité, vous me divertissez, vous me faites rire.

ARLEQUIN, *en s'en allant.* Oh ! pour moi, je m'ennuie de vous faire
95 rire à vos dépens. Adieu ; si tout le monde était comme moi, vous
trouveriez plus tôt un merle blanc[4] qu'un amoureux.
Trivelin arrive quand il sort.

Scène 7 ARLEQUIN, TRIVELIN, LISETTE

TRIVELIN, *à Arlequin.* Vous sortez ?

ARLEQUIN. Oui ; cette demoiselle veut que je l'aime, mais il n'y a
pas moyen.

TRIVELIN. Allons, allons faire un tour, en attendant le dîner ; cela
5 vous désennuiera.

---

1. **Vous extravaguez :** vous délirez.
2. **C'est cela qui :** c'est elle qui.
3. **Un charme :** un enchantement.
4. **Un merle blanc :** un oiseau qui n'existe pas, car le merle est un oiseau noir.
   Désigne une chose impossible.

Scène 8 LE PRINCE, FLAMINIA, LISETTE

FLAMINIA, *à Lisette.* Eh bien, nos affaires avancent-elles ? Comment va le cœur d'Arlequin ?

LISETTE, *d'un air fâché.* Il va très brutalement pour moi.

FLAMINIA. Il t'a donc mal reçue ?

5 **LISETTE.** Eh ! fi ! Mademoiselle, vous êtes une coquette ; voilà de son style[1].

LE PRINCE. J'en suis fâché, Lisette ; mais il ne faut pas que cela vous chagrine, vous n'en valez pas moins[2].

LISETTE. Je vous avoue, Seigneur, que si j'étais vaine[3], je n'aurais
10 pas mon compte. J'ai des preuves que je puis déplaire ; et nous autres femmes, nous nous passons bien de ces preuves-là.

FLAMINIA. Allons, allons, c'est maintenant à moi à tenter l'aventure.

LE PRINCE. Puisqu'on ne peut gagner[4] Arlequin, Silvia ne m'aimera jamais.

15 **FLAMINIA.** Et moi je vous dis, Seigneur, que j'ai vu Arlequin ; qu'il me plaît, à moi ; que je me suis mis dans la tête de vous rendre content ; que je vous ai promis que vous le seriez ; que je vous tiendrai parole, et que de tout ce que je vous dis là je ne rabattrais pas la valeur d'un mot[5]. Oh ! vous ne me connaissez pas. Quoi !
20 Seigneur, Arlequin et Silvia me résisteraient ? Je ne gouvernerais pas deux cœurs de cette espèce-là ! moi qui l'ai entrepris, moi qui suis opiniâtre, moi qui suis femme ? c'est tout dire. Et moi, j'irais me cacher ! Mon sexe me renoncerait[6], Seigneur : vous pouvez en

---

1. **Voilà de son style :** voilà de quelle façon il me parle.
2. **Vous n'en valez pas moins :** cela n'enlève rien à votre valeur.
3. **Vaine :** vaniteuse.
4. **Gagner :** convaincre.
5. **Je ne rabattrais pas la valeur d'un mot :** je ne reviendrais pas, même sur la valeur d'un mot ; je suis sûre de mon fait.
6. **Mon sexe me renoncerait :** les femmes me désavoueraient, je ne serais plus digne d'être une femme.

toute sûreté ordonner les apprêts[1] de votre mariage, vous arranger
25 pour cela ; je vous garantis aimé, je vous garantis marié, Silvia va
vous donner son cœur, ensuite sa main ; je l'entends d'ici vous
dire : « Je vous aime » ; je vois vos noces, elles se font ; Arlequin
m'épouse, vous nous honorez de vos bienfaits, et voilà qui est fini.

LISETTE, *d'un air incrédule.* Tout est fini ? Rien n'est commencé.

30 **FLAMINIA.** Tais-toi, esprit court[2].

LE PRINCE. Vous m'encouragez à espérer ; mais je vous avoue que
je ne vois d'apparence à rien[3].

FLAMINIA. Je les ferai bien venir, ces apparences ; j'ai de bons
moyens pour cela. Je vais commencer par aller chercher Silvia : il
35 est temps qu'elle voie Arlequin.

LISETTE. Quand ils se seront vus, j'ai bien peur que tes moyens
n'aillent mal.

LE PRINCE. Je pense de même.

FLAMINIA, *d'un air indifférent.* Eh ! nous ne différons que du oui
40 et du non ; ce n'est qu'une bagatelle. Pour moi, j'ai résolu qu'ils se
voient librement. Sur la liste des mauvais tours que je veux jouer à
leur amour, c'est ce tour-là que j'ai mis à la tête[4].

LE PRINCE. Faites donc à votre fantaisie.

FLAMINIA. Retirons-nous ; voici Arlequin qui vient.

---

1. **Les apprêts :** les préparatifs.
2. **Esprit court :** esprit borné.
3. **Je ne vois d'apparence à rien :** je ne vois rien qui puisse me donner de l'espoir.
4. **À la tête :** en tête de liste, en premier.

Scène 9 ARLEQUIN, TRIVELIN *et une suite de valets.*

ARLEQUIN. Par parenthèse[1], dites-moi une chose ; il y a une heure que je rêve à quoi[2] servent ces grands drôles[3] bariolés qui nous accompagnent partout. Ces gens-là sont bien curieux !

5 **TRIVELIN.** Le prince, qui vous aime, commence par là à vous donner des témoignages de sa bienveillance ; il veut que ces gens-là vous suivent pour vous faire honneur.

ARLEQUIN. Oh ! oh ! c'est donc une marque d'honneur ?

TRIVELIN. Oui, sans doute.

ARLEQUIN. Et, dites-moi, ces gens-là qui me suivent, qui est-ce
10 qui les suit, eux ?

TRIVELIN. Personne.

ARLEQUIN. Et vous, n'avez-vous personne aussi ?

TRIVELIN. Non.

ARLEQUIN. On ne vous honore donc pas, vous autres ?

15 **TRIVELIN.** Nous ne méritons pas cela.

ARLEQUIN, *en colère et prenant son bâton.* Allons, cela étant, hors d'ici. Tournez-moi les talons avec toutes ces canailles-là.

TRIVELIN. D'où vient donc cela ?

ARLEQUIN. Détalez ; je n'aime point les gens sans honneur et qui
20 ne méritent pas qu'on les honore.

TRIVELIN. Vous ne m'entendez pas[4].

ARLEQUIN, *en le frappant.* Je m'en vais donc vous parler plus clairement.

---

1. **Par parenthèse :** de vous à moi, entre nous.
2. **Je rêve à quoi :** je me demande à quoi.
3. **Drôles :** coquins.
4. **Vous ne m'entendez pas :** « entendre » a deux sens, comprendre et percevoir par les oreilles.

TRIVELIN, *en s'enfuyant.* Arrêtez, arrêtez ; que faites-vous ?
25 *Arlequin court aussi après les autres valets, qu'il chasse, et Trivelin se réfugie dans une coulisse.*

Scène 10   ARLEQUIN, TRIVELIN

ARLEQUIN, *revient sur le théâtre.* Ces marauds-là[1] ! j'ai eu toutes les peines du monde à les congédier. Voilà une drôle de façon d'honorer un honnête homme, que de mettre une troupe de coquins après lui ; c'est se moquer du monde. *(Il se retourne, et voit*
5 *Trivelin qui revient.)* Mon ami, est-ce que je ne me suis pas bien expliqué ?

TRIVELIN, *de loin.* Écoutez, vous m'avez battu ; mais je vous le pardonne, je vous crois un garçon raisonnable.

ARLEQUIN. Vous le voyez bien.

10 **TRIVELIN**, *de loin.* Quand je vous dis que nous ne méritons pas d'avoir des gens à notre suite, ce n'est pas que nous manquions d'honneur ; c'est qu'il n'y a que les personnes considérables, les Seigneurs, les gens riches, qu'on honore de cette manière-là. S'il suffisait d'être honnête homme, moi qui vous parle, j'aurais après moi une armée de valets.

15 **ARLEQUIN**, *remettant sa latte[2].* Oh ! à présent je vous comprends. Que diantre ! que ne dites-vous la chose comme il faut ? Je n'aurais pas les bras démis, et vos épaules s'en porteraient mieux.

TRIVELIN. Vous m'avez fait mal.

---

1. **Ces marauds-là :** ces coquins-là.
2. **Remettant sa latte :** remettant en place son bâton, rengainant son bâton. Ce bâton est attaché au personnage d'Arlequin dans la comédie italienne.

ARLEQUIN. Je le crois bien, c'était mon intention. Par bonheur
20 ce n'est qu'un malentendu, et vous devez être bien aise[1] d'avoir
reçu innocemment les coups de bâton que je vous ai donnés. Je
vois bien à présent que c'est qu'on fait ici tout l'honneur aux gens
considérables, riches, et à celui qui n'est qu'honnête homme, rien.

TRIVELIN. C'est cela même.

25 **ARLEQUIN,** *d'un air dégoûté.* Sur ce pied-là[2], ce n'est pas grand-
chose que d'être honoré, puisque cela ne signifie pas qu'on soit
honorable.

TRIVELIN. Mais on peut être honorable avec cela.

ARLEQUIN. Ma foi ! tout bien compté, vous me ferez le plaisir de
30 me laisser là sans compagnie. Ceux qui me verront tout seul me
prendront tout d'un coup pour un honnête homme, j'aime autant
cela que d'être pris pour un grand Seigneur.

TRIVELIN. Nous avons ordre de rester auprès de vous.

ARLEQUIN. Menez-moi donc voir Silvia.

35 **TRIVELIN.** Vous serez satisfait, elle va venir... Parbleu ! je ne me
trompe pas, car la voilà qui entre. Adieu ! je me retire.

---

1. **Bien aise :** satisfait.
2. **Sur ce pied-là :** dans ces circonstances.

Clefs d'analyse

Compréhension

Deux scènes de farce

- Dire ce qui motive la colère d'Arlequin dans la scène 9.
- Préciser de quel genre de comique relèvent les coups de bâton qu'Arlequin donne à la scène 9.
- Évoquer une scène connue de bastonnade chez Molière.

La naïveté d'Arlequin

- Commenter l'expression « ces grands drôles bariolés » (scène 9, ligne 2).
- Montrer qu'Arlequin ne comprend pas les usages de la cour.
- Révéler en quoi sa naïveté est source d'un malentendu comique.

Réflexion

Mise en question du point d'honneur

- Dire à quoi se réduit l'honneur dans cette scène.
- Montrer quelle différence est révélée entre les maîtres et les valets.
- Dire quelle pièce utopique de Marivaux pose le problème de la condition des valets.

Un regard neuf et décapant sur les mœurs de ses contemporains

- Expliquer quelle est la fonction de la naïveté d'Arlequin.
- Rapprocher le regard que pose Arlequin sur la cour de celui des Persans de Montesquieu ou du Huron de Voltaire.

> ### À retenir
> *Pour les aristocrates, l'honneur est sacré. Mais l'honneur tend souvent à se réduire à sa simple démonstration, comme dans cette scène. Sa vérité est pourtant dans une éthique réellement exigeante et une parfaite bonté. Marivaux met en garde les puissants : plutôt que de se contenter des apparences, il faut développer en soi une noblesse de cœur.*

Clefs d'analyse

Scène 11 SILVIA, ARLEQUIN, FLAMINIA

SILVIA, *en entrant, accourt avec joie.* Ah ! le voici. Eh ! mon cher Arlequin, c'est donc vous ! Je vous revois donc ! Le pauvre enfant ! que je suis aise !

ARLEQUIN, *tout essoufflé de joie.* Et moi aussi. *(Il prend sa respira-*
5 *tion.)* Oh ! oh ! je me meurs de joie.

SILVIA. Là, là, mon fils[1], doucement ; comme il m'aime ; quel plaisir d'être aimée comme cela !

FLAMINIA, *en les regardant tous deux.* Vous me ravissez tous deux, mes chers enfants, et vous êtes bien aimables de vous être
10 si fidèles. *(Et comme tout bas.)* Si quelqu'un m'entendait dire cela, je serais perdue... mais, dans le fond du cœur, je vous estime et je vous plains.

SILVIA, *lui répondant.* Hélas ! c'est que vous êtes un bon cœur. J'ai bien soupiré, mon cher Arlequin.

15 **ARLEQUIN,** *tendrement, et lui prenant la main.* M'aimez-vous toujours ?

SILVIA. Si je vous aime ! Cela se demande-t-il ? est-ce une question à faire ?

FLAMINIA, *d'un air naturel à Arlequin.* Oh ! pour cela, je puis vous
20 certifier sa tendresse. Je l'ai vue au désespoir, je l'ai vue pleurer de votre absence ; elle m'a touchée moi-même. Je mourais d'envie de vous voir ensemble ; vous voilà. Adieu, mes amis ; je m'en vais, car vous m'attendrissez. Vous me faites tristement ressouvenir d'un amant que j'avais et qui est mort. Il avait de l'air d'Arlequin[2] et je
25 ne l'oublierai jamais. Adieu, Silvia ; on m'a mise auprès de vous, mais je ne vous desservirai point[3]. Aimez toujours Arlequin, il le

---

1. **Mon fils :** mot gentil et affectueux.
2. **Il avait de l'air d'Arlequin :** il avait quelque chose d'Arlequin, il ressemblait à Arlequin.
3. **Je ne vous desservirai point :** je ne vous ferai aucun tort.

mérite ; et vous, Arlequin, quelque chose qu'il arrive[1], regardez-moi comme une amie, comme une personne qui voudrait pouvoir vous obliger[2] : je ne négligerai rien pour cela.

30 **ARLEQUIN**, *doucement.* Allez, Mademoiselle, vous êtes une fille de bien[3]. Je suis votre ami aussi, moi. Je suis fâché de la mort de votre amant ; c'est bien dommage que vous soyez affligée, et nous aussi. *Flaminia sort.*

Scène 12 ARLEQUIN, SILVIA

SILVIA, *d'un air plaintif.* Eh bien ! mon cher Arlequin ?

ARLEQUIN. Eh bien ! mon âme ?

SILVIA. Nous sommes bien malheureux.

ARLEQUIN. Aimons-nous toujours ; cela nous aidera à prendre 5 patience.

SILVIA. Oui, mais notre amitié, que deviendra-t-elle ? Cela m'inquiète.

ARLEQUIN. Hélas ! m'amour[4], je vous dis de prendre patience, mais je n'ai pas plus de courage que vous. *(Il lui prend la main.)* 10 Pauvre petit trésor à moi, m'amie ! il y a trois jours que je n'ai vu ces beaux yeux-là ; regardez-moi toujours, pour me récompenser.

SILVIA, *d'un air inquiet.* Ah ! j'ai bien des choses à vous dire. J'ai peur de vous perdre ; j'ai peur qu'on ne vous fasse quelque mal

---

1. **Quelque chose qu'il arrive :** quoi qu'il arrive.
2. **Vous obliger :** vous rendre service.
3. **Fille de bien :** fille honnête.
4. **M'amour :** appellatif qui vient de « ma amour », « amour » étant du féminin.

par méchanceté de jalousie[1], j'ai peur que vous ne soyez trop longtemps sans me voir, et que vous ne vous y accoutumiez.

ARLEQUIN. Petit cœur, est-ce que je m'accoutumerais à être
malheureux ?

SILVIA. Je ne veux point que vous m'oubliiez, je ne veux point non
plus que vous enduriez rien[2] à cause de moi ; je ne sais point dire
ce que je veux, je vous aime trop. C'est une pitié que mon embarras ; tout me chagrine.

ARLEQUIN, *pleurant.* Hi ! hi ! hi ! hi !

SILVIA, *tristement.* Oh bien ! Arlequin, je m'en vais donc pleurer
aussi, moi.

ARLEQUIN. Comment voulez-vous que je m'empêche de pleurer,
puisque vous voulez être si triste ? si vous aviez un peu de compassion[3], est-ce que vous seriez si affligée ?

SILVIA. Demeurez donc en repos ; je ne vous dirai plus que je suis
chagrine.

ARLEQUIN. Oui ; mais je devinerai que vous l'êtes. Il faut me promettre que vous ne le serez plus.

SILVIA. Oui, mon fils : mais promettez-moi aussi que vous m'aime-
rez toujours.

ARLEQUIN, *en s'arrêtant tout court[4] pour la regarder.* Silvia, je suis
votre amant ; vous êtes ma maîtresse ; retenez-le bien, car cela est
vrai ; et tant que je serai en vie, cela ira toujours le même train[5],
cela ne branlera[6] pas ; je mourrai de compagnie avec[7] cela. Ah çà !
dites-moi le serment que vous voulez que je vous fasse ?

SILVIA, *bonnement[8].* Voilà qui va bien, je ne sais point de serments ; vous êtes un garçon d'honneur ; j'ai votre amitié, vous

---

1. **Par méchanceté de jalousie :** par la méchanceté qu'inspire la jalousie.
2. **Rien :** quelque chose, sens étymologique de « res », mot latin qui signifie « chose ».
3. **Compassion :** pitié.
4. **Tout court :** soudainement.
5. **Cela ira toujours le même train :** cela continuera toujours ainsi.
6. **Branlera :** bougera, changera.
7. **De compagnie avec :** avec, accompagné de, en compagnie de.
8. **Bonnement :** sincèrement.

avez la mienne ; je ne la reprendrai pas. À qui est-ce que je la porterais ? N'êtes-vous pas le plus joli garçon qu'il y ait ? Y a-t-il quelque fille qui puisse vous aimer autant que moi ? En bien ? n'est-ce pas assez ? nous en faut-il davantage ? Il n'y a qu'à rester
45 comme nous sommes, il n'y aura pas besoin de serments.

ARLEQUIN. Dans cent ans d'ici[1], nous serons tout de même[2].

SILVIA. Sans doute.

ARLEQUIN. Il n'y a donc rien à craindre, m'amie ; tenons-nous donc joyeux[3].

50 **SILVIA.** Nous souffrirons peut-être un peu ; voilà tout.

ARLEQUIN. C'est une bagatelle. Quand on a un peu pâti[4], le plaisir en semble meilleur.

SILVIA. Oh ! pourtant, je n'aurais que faire de pâtir pour être bien aise, moi.

55 **ARLEQUIN.** Il n'y aura qu'à ne pas songer que nous pâtissons.

SILVIA, *en le regardant tendrement.* Ce cher petit homme, comme il m'encourage !

ARLEQUIN, *tendrement.* Je ne m'embarrasse que de vous[5].

SILVIA, *en le regardant.* Où est-ce qu'il prend tout ce qu'il me dit ?
60 Il n'y a que lui au monde comme cela ; mais aussi il n'y a que moi pour vous aimer, Arlequin.

ARLEQUIN, *saute d'aise.* C'est comme du miel, ces paroles-là.
En même temps, viennent Flaminia et Trivelin.

---

1. **Dans cent ans d'ici :** dans cent ans.
2. **Nous serons tout de même :** nous serons les mêmes.
3. **Tenons-nous donc joyeux :** gardons notre joie.
4. **Pâti :** souffert.
5. **Je ne m'embarrasse que de :** je ne me préoccupe que de vous.

Clefs d'analyse

Compréhension

D'émouvantes retrouvailles

- Dire comment s'exprime la joie de Silvia et d'Arlequin dans la scène 11.
- Préciser quel est le changement qui nous fait passer de la scène 11 à la scène 12.
- Dire si le ton demeure le même dans la scène 12 et dans la scène 11.

Un duo d'amour traditionnel

- Commenter le fait que nous ayons attendu ces retrouvailles de Silvia et d'Arlequin jusqu'à la scène 11.
- Expliquer pourquoi ces retrouvailles ont lieu en présence de Flaminia.
- Préciser en quoi ce duo d'amour émeut le spectateur.

Réflexion

Un langage naïf

- Relever les tendres appellatifs qu'échangent les amants et dire quelle est leur fonction théâtrale.
- Commenter les propos de Flaminia et préciser si elle est, ou pas, sincère.
- Expliquer pourquoi Flaminia certifie à la ligne 20 de la scène 11 la tendresse de Silvia.

Les serments des amants

- Rechercher les serments échangés dans la scène 12.
- Dire en quoi le titre de la pièce, parce qu'il est programmatique, contraint le spectateur à mettre ces serments à distance.

> ### À retenir
> Dans La Double Inconstance, Marivaux s'interroge sur les aléas de l'amour. Il montre que Cupidon ne peut se laisser enfermer par les serments. Cette distanciation du discours amoureux le plus naïvement pur à laquelle le dramaturge nous conduit est source d'humour en même temps, peut-être, que de sagesse.

Scène 13 ARLEQUIN, TRIVELIN, SILVIA, FLAMINIA

TRIVELIN, *à Silvia.* Je suis au désespoir de vous interrompre ; mais votre mère vient d'arriver, Mademoiselle Silvia, et elle demande instamment à vous parler.

SILVIA, *regardant Arlequin.* Arlequin, ne me quittez pas ; je n'ai
5 rien de secret pour vous.

ARLEQUIN, *la prenant sous le bras.* Marchons, ma petite.

FLAMINIA, *d'un air de confiance, et s'approchant d'eux.* Ne craignez rien, mes enfants ; allez toute seule trouver votre mère, ma chère Silvia ; cela sera plus séant[1]. Vous êtes libres de vous voir autant
10 qu'il vous plaira, c'est moi qui vous en assure. Vous savez bien que je ne voudrais pas vous tromper.

ARLEQUIN. Oh ! non ; vous êtes de notre parti, vous.

SILVIA. Adieu donc, mon fils, je vous rejoindrai bientôt.
Elle sort.

15 **ARLEQUIN,** *à Flaminia, qui veut s'en aller et qu'il arrête.* Notre amie, pendant qu'elle sera là, restez avec moi pour empêcher que je ne m'ennuie ; il n'y a ici que votre compagnie que je puisse endurer.

FLAMINIA, *comme en secret.* Mon cher Arlequin, la vôtre me fait
20 bien du plaisir aussi ; mais j'ai peur qu'on ne s'aperçoive de l'amitié que j'ai pour vous.

TRIVELIN. Seigneur Arlequin, le dîner est prêt.

ARLEQUIN, *tristement.* Je n'ai point de faim.

FLAMINIA, *d'un air d'amitié.* Je veux que vous mangiez, vous en
25 avez besoin.

ARLEQUIN, *doucement.* Croyez-vous ?

FLAMINIA. Oui.

---

1. **Plus séant :** plus convenable.

ARLEQUIN. Je ne saurais[1]. *(À Trivelin.)* La soupe est-elle bonne ?

TRIVELIN. Exquise.

30 **ARLEQUIN.** Hum ! il faut attendre Silvia ; elle aime le potage.

FLAMINIA. Je crois qu'elle dînera avec sa mère. Vous êtes le maître pourtant ; mais je vous conseille de les laisser ensemble ; n'est-il pas vrai ? Après dîner vous la verrez.

ARLEQUIN. Je veux bien ; mais mon appétit n'est pas encore
35 ouvert.

TRIVELIN. Le vin est au frais, et le rôt[2] tout prêt.

ARLEQUIN. Je suis si triste !… Ce rôt est donc friand ?

TRIVELIN. C'est du gibier qui a une mine[3] !…

ARLEQUIN. Que de chagrins ! Allons donc ; quand la viande est
40 froide, elle ne vaut rien.

FLAMINIA. N'oubliez pas de boire à ma santé.

ARLEQUIN. Venez boire à la mienne, à cause de la connaissance[4].

FLAMINIA. Oui-da, de tout mon cœur ; j'ai une demi-heure à vous donner.

45 **ARLEQUIN.** Bon ! je suis content de vous.

---

1. **Je ne saurais :** je ne pourrais.
2. **Le rôt :** la viande rôtie.
3. **Une mine :** une apparence appétissante.
4. **À cause de la connaissance :** puisque nous sommes en train de faire connaissance.

Synthèse Acte I

La rencontre de deux mondes : villageois et courtisans

Personnages

▎ **Courtisans et villageois**

Le prince d'un royaume fictif (est-ce un royaume de conte de fées ?) a fait enlever, pour l'épouser, une jeune fille, Silvia, qu'il a rencontrée par hasard et sous l'identité d'emprunt d'un simple officier. Cette jeune fille est une « bourgeoise », c'est-à-dire l'habitant d'un bourg qu'on situera à la campagne. La loi de son royaume oblige ce prince à se marier avec l'une de ses sujettes. Toutefois, cette jeune Silvia est déjà amoureuse d'un homme de son village, certes un peu fruste, mais beau garçon et très gai, Arlequin. Lorsque le rideau se lève, Silvia se dispute avec l'envoyé du prince, Trivelin : elle ne veut pas devenir princesse, elle n'aspire qu'à revoir son cher Arlequin. Une femme de la cour, très habile, Flaminia, déclare au prince qu'elle prend désormais la direction des opérations : elle s'engage à détruire l'amour unissant Silvia et Arlequin, et à aider le prince à épouser celle qu'il convoite.

Flaminia devient ainsi, dès la scène 2, la meneuse de jeu : celle qui représente et relaie le dramaturge sur la scène, parce qu'elle y gouverne le cœur et l'action des autres personnages.

Arlequin est un rustre, un candide, soudain lancé dans un royaume dont les règles manquent de bon sens. Son regard neuf permet à la satire des hypocrisies du monde artificiel de la cour d'aller bon train (scènes 4, 6, 10 et 13).

L'intrigue confronte deux mondes, celui des petites gens issues de la campagne et dotées d'une grande noblesse de cœur, et celui des courtisans raffinés et corrompus, prêts à tout pour obtenir des faveurs du prince.

Toutefois, si dans le premier acte le bien est du côté des personnages humbles, victimes d'un abus de pouvoir, et le mal du côté du prince et de son entourage, ces catégories, nous le verrons, ne sont pas destinées à demeurer stables.

Langage
Le vrai sens des mots

Comme il confronte deux castes, celle des aristocrates et celle des villageois, Marivaux joue habilement sur le contraste de deux langages, un langage populaire, émaillé d'interjections et de tournures familières, celui de Silvia et plus encore d'Arlequin, et un langage soutenu et raffiné, celui du prince, de Flaminia, de Lisette et de Trivelin. Ce contraste relève du comique de mots. Le fait qu'Arlequin prend tout au pied de la lettre suscite un malentendu comique dans la scène 9 qui tourne à la farce en provoquant une bastonnade : Arlequin dégaine sa « latte » destinée à corriger ceux qui ne sont pas « honorés ». Or, cette farce trouve sa profondeur en conduisant les spectateurs à s'interroger sur le sens véritable des mots, lorsque Arlequin, qui a enfin compris son erreur, s'exprime en ces termes : « Sur ce pied-là, ce n'est pas grand-chose que d'être honoré, puisque cela ne signifie pas qu'on soit honorable. » C'est, on le voit, sur ce qui rend digne d'être honoré, et donc sur le vrai sens du mot « honneur », que Marivaux s'interroge.

Société
Satire de la société d'Ancien Régime

Marivaux satirise, en philosophe moraliste, quelques-uns des aspects de la société de l'Ancien Régime. Pour ce faire, le dramaturge confronte sciemment deux villageois naïfs au cœur pur à des courtisans roués prêts à tout pour tuer leur amour. Ces courtisans ont des raisons bassement matérielles : gagner les faveurs du prince qui saura leur prouver sa gratitude en faisant leur fortune. Les deux jeunes promis Arlequin et Silvia, en revanche, parce qu'ils ne se laissent détourner ni de leur amour ni de leur fidélité, apparaissent comme des modèles de vertu. Marivaux montre ainsi que le titre de noblesse ne va pas toujours de pair avec la vraie noblesse, celle du cœur. Parallèlement, Marivaux invite à s'interroger sur l'abus de pouvoir. Parce que tel est son bon plaisir, le prince a fait enlever l'une de ses sujettes. Ce rapt est moralement indéfendable. Il se donne à lire comme une dénonciation des excès auxquels peut conduire l'absolutisme royal. La monarchie, lorsqu'elle n'est pas contenue par une morale rigoureuse, est un régime politique injuste pour les petites gens sans défense.

Synthèse

DIVERTISSEMENT[1]

Par le fumet de ces chapons,
Par ces gigots, par ma poularde,
Par la liqueur de ces flacons,
Par nos ragoûts à la moutarde,
5   Par la vertu de ces jambons,
Je te conjure, âme gourmande,
De venir avaler la viande
Que dévorent tes yeux gloutons.
Ami tu ne peux plus attendre,
10 Viens, ce rôt a charmé ton cœur,
Je reconnais à ton air tendre *(bis)*
L'excès de ta friande ardeur.
Suis-nous, il est temps de te rendre.

Viens goûter la douceur
15 De gruger ton vainqueur.
Il est temps de te rendre.
Viens goûter la douceur
De gruger ton vainqueur.

---

1. **Divertissement :** ici, couplets chantés par un traiteur à la tête de valets portant des plats.

ACTE II
Scène 1 SILVIA, FLAMINIA

SILVIA. Oui, je vous crois. Vous paraissez me vouloir du bien. Aussi vous voyez que je ne souffre[1] que vous ; je regarde tous les autres comme mes ennemis. Mais où est Arlequin ?

FLAMINIA. Il va venir, il dîne encore.

5 **SILVIA.** C'est quelque chose d'épouvantable que ce pays-ci ! Je n'ai jamais vu de femmes si civiles[2], des hommes si honnêtes, ce sont des manières si douces, tant de révérences, tant de compliments, tant de signes d'amitié. Vous diriez que ce sont les meilleurs gens du monde, qu'ils sont pleins de cœur et de conscience. Point
10 du tout ! De tous ces gens-là, il n'y en a pas un qui ne vienne me dire d'un air prudent : « Mademoiselle, croyez-moi, je vous conseille d'abandonner Arlequin et d'épouser le prince » ; mais ils me conseillent cela tout naturellement, sans avoir honte, non plus que[3] s'ils m'exhortaient à quelque bonne action. « Mais, leur
15 dis-je, j'ai promis à Arlequin ; où est, la fidélité, la probité, la bonne foi ? » Ils ne m'entendent pas ; ils ne savent ce que c'est que tout cela, c'est tout comme si je leur parlais grec. Ils me rient au nez, me disent que je fais l'enfant, qu'une grande fille doit avoir de la raison ; eh ! cela n'est-il pas joli ? Ne valoir rien, tromper son pro-
20 chain, lui manquer de parole, être fourbe[4] et mensonger, voilà le devoir des grandes personnes de ce maudit endroit-ci. Qu'est-ce que c'est que ces gens-là ? D'où sortent-ils ? De quelle pâte sont-ils ?[5]

---

1. **Je ne souffre :** je ne supporte.
2. **Si civiles :** si polies.
3. **Non plus que :** de la même façon que.
4. **Fourbe :** hypocrite, sournois.
5. **De quelle pâte sont-ils ? :** de quel bois sont-ils faits ?

FLAMINIA. De la pâte des autres hommes, ma chère Silvia. Que
cela ne vous étonne pas ; ils s'imaginent que ce serait votre bonheur que le mariage du prince.

SILVIA. Mais ne suis-je pas obligée d'être fidèle ? N'est-ce pas mon
devoir d'honnête fille ? Et quand on ne fait pas son devoir, est-on
heureuse ? Par-dessus le marché, cette fidélité n'est-elle pas mon
charme ? Et on a le courage de me dire : « là, fais un mauvais tour,
qui ne te rapportera que du mal ; perds ton plaisir et ta bonne
foi » ; et parce que je ne veux pas, moi, on me trouve dégoûtée[1] !

FLAMINIA. Que voulez-vous ? ces gens-là pensent à leur façon, et
souhaiteraient que le prince fût content.

SILVIA. Mais ce prince, que ne prend-il une fille qui se rende à lui
de bonne volonté ? Quelle fantaisie d'en vouloir une qui ne veut
pas de lui ! Quel goût trouve-t-il à cela ? Car c'est un abus que tout
ce qu'il fait, tous ces concerts, ces comédies, ces grands repas qui
ressemblent à des noces, ces bijoux qu'il m'envoie ; tout cela lui
coûte un argent infini, c'est un abîme, il se ruine ; demandez-moi
ce qu'il y gagne. Quand il me donnerait toute la boutique d'un
mercier, cela ne me ferait pas tant de plaisir qu'un petit peloton[2]
qu'Arlequin m'a donné.

FLAMINIA. Je n'en doute pas ; voilà ce que c'est que l'amour ; j'ai
aimé de même, et je me reconnais au peloton.

SILVIA. Tenez, si j'avais eu à changer Arlequin contre un autre,
ç'aurait été contre un officier du palais, qui m'a vue cinq ou six fois
et qui est d'aussi bonne façon[3] qu'on puisse être. Il y a bien à tirer
si le prince le vaut[4] ; c'est dommage que je n'aie pu l'aimer dans le
fond et je le plains plus que le prince.

FLAMINIA, *souriant en cachette.* Oh ! Silvia, je vous assure que
vous plaindrez le prince autant que lui, quand vous le connaîtrez.

SILVIA. Eh bien ! qu'il tâche de m'oublier, qu'il me renvoie, qu'il
voie d'autres filles. Il y en a ici qui ont leur amant tout comme

---

1. **Dégoûtée :** exigeante, difficile.
2. **Peloton :** petite pelote de fil roulé servant à piquer des aiguilles.
3. **Bonne façon :** bonne mine, belle apparence.
4. **Il y a bien à tirer si le prince le vaut :** il est peu probable que le prince le vaille.

55 moi ; mais cela ne les empêche pas d'aimer tout le monde ; j'ai bien vu que cela ne leur coûte rien ; mais pour moi, cela m'est impossible.

FLAMINIA. Eh ! ma chère enfant, avons-nous rien[1] ici qui vous vaille, rien qui approche de vous ?

60 **SILVIA,** *d'un air modeste.* Oh ! que si ; il y en a de plus jolies que moi ; et quand elles seraient[2] la moitié moins jolies, cela leur fait plus de profit qu'à moi d'être tout à fait belle. J'en vois ici de laides qui font si bien aller leur visage[3], qu'on y est trompé.

FLAMINIA. Oui, mais le vôtre va tout seul, et cela est charmant.

65 **SILVIA.** Bon ! moi, je ne parais rien, je suis toute d'une pièce auprès d'elles ; je demeure là, je ne vais ni ne viens ; au lieu qu'elles, elles sont d'une humeur joyeuse ; elles ont des yeux qui caressent tout le monde ; elles ont une mine hardie, une beauté libre qui ne se gêne point, qui est sans façon ; cela plaît davantage que non pas[4]
70 une honteuse[5] comme moi, qui n'ose regarder les gens et qui est confuse qu'on la trouve belle.

FLAMINIA. Eh ! voilà justement ce qui touche le prince, voilà ce qu'il estime, c'est cette ingénuité, cette beauté simple, ce sont ces grâces naturelles. Eh ! croyez-moi, ne louez pas tant les femmes
5 d'ici ; car elles ne vous louent guère.

SILVIA. Qu'est-ce donc qu'elles disent ?

FLAMINIA. Des impertinences ; elles se moquent de vous, raillent le prince, lui demandent comment se porte sa beauté rustique. « Y a-t-il de visage plus commun ? disaient l'autre jour ces jalouses entre elles ; de taille plus gauche[6] ? » Là-dessus l'une vous prenait par[7] les yeux, l'autre par la bouche ; il n'y avait pas jusqu'aux

---

1. **Rien :** quelqu'un.
2. **Et quand elles seraient :** et quand bien même elles seraient.
3. **Qui font si bien aller leur visage :** qui mettent si bien en valeur leur visage.
4. **Que non pas :** tournure populaire, qu'on peut ici remplacer par un simple « que ».
5. **Honteuse :** timide.
6. **Gauche :** mal faite.
7. **Prenait par :** s'en prenait à.

hommes[1] qui ne vous trouvaient pas trop jolie. J'étais dans une colère !...

SILVIA, *fâchée*. Pardi ! voilà de vilains hommes, de trahir comme cela leur pensée pour plaire à ces sottes-là.

FLAMINIA. Sans difficulté[2].

SILVIA. Que je hais ces femmes-là ! Mais puisque je suis si peu agréable à leur compte, pourquoi donc est-ce que le prince m'aime et qu'il les laisse là ?

FLAMINIA. Oh ! elles sont persuadées qu'il ne vous aimera pas longtemps, que c'est un caprice qui lui passera, et qu'il en rira tout le premier.

SILVIA, *piquée et après avoir un peu regardé Flaminia*. Hum ! elles sont bien heureuses que j'aime Arlequin, sans cela, j'aurais grand plaisir à les faire mentir, ces babillardes-là.

FLAMINIA. Ah ! qu'elles mériteraient bien d'être punies ! Je leu ai dit : « Vous faites ce que vous pouvez pour faire renvoyer Silvia pour plaire au prince ; et, si elle le voulait, il ne daignerait pas voi regarder. »

SILVIA. Pardi ! vous voyez bien ce qui en est ; il ne tient qu'à moi de les confondre[3].

FLAMINIA. Voilà de la compagnie qui nous vient.

SILVIA. Eh ! je crois que c'est cet officier dont je vous ai parlé ; c'est lui-même. Voyez la belle physionomie d'homme !

---

1. **Il n'y avait pas jusqu'aux hommes :** même les hommes.
2. **Sans difficulté :** vous avez pleinement raison.
3. **Les confondre :** les réduire au silence.

Clefs d'analyse

Compréhension

L'honnêteté des humbles

- Définir la morale de Silvia en vous fondant sur ce qu'elle déclare dans cette scène.
- Dire si les interrogations de Silvia de la ligne 27 à la ligne 30 et de la ligne 35 à la ligne 37 cherchent véritablement à obtenir une réponse de Flaminia.

La corruption des courtisans

- Observer le portrait des courtisans de la ligne 10 à la ligne 23 et dire ce qu'il satirise.
- Relever les expressions péjoratives désignant la cour, dans la bouche de Silvia.

Réflexion

Les manœuvres de Flaminia

- Définir la relation entre les deux femmes présentes sur la scène.
- Justifier le fait que Flaminia rapporte à Silvia ce que la cour dit à son sujet.
- Préciser quel sentiment Flaminia cherche à susciter chez la jeune fille.

Mise en question de la morale

- Dire ce que révèlent les lignes 46 à 50.
- Montrer que Silvia est sensible aux compliments de Flaminia comme aux médisances qu'elle lui rapporte, et qu'elle aussi peut se montrer coquette.

> ### À retenir
> La probité de Silvia et d'Arlequin est exhibée, mais elle sera démentie par les faits, puisqu'ils se laisseront séduire, peut-être même corrompre. Cette scène 1 montre les contradictions d'une conscience : Silvia est certes honnête, mais coquette, comme toutes les femmes conscientes de leur beauté. Flaminia a donc trouvé la corde sensible, et saura en jouer pour parvenir à ses fins.

Clefs d'analyse

Scène 2 Le prince, *sous le nom d'officier du palais, et* Lisette, *sous le nom de dame de la Cour, et les acteurs précédents.*

Le prince, en voyant Silvia, salue avec beaucoup de soumission[1].

SILVIA. Comment ! vous voilà, Monsieur ? Vous saviez donc bien que j'étais ici ?

LE PRINCE. Oui, Mademoiselle, je le savais ; mais vous m'aviez dit de ne plus vous voir, et je n'aurais osé paraître sans Madame, qui a
5 souhaité que je l'accompagnasse, et qui a obtenu du prince l'honneur de vous faire la révérence.
La dame ne dit mot et regarde seulement Silvia avec attention ; Flaminia et elle se font des mines[2].

SILVIA, *doucement.* Je ne suis pas fâchée de vous revoir et vous
10 me trouvez bien triste. À l'égard de cette dame, je la remercie de la volonté qu'elle a de me faire une révérence, je ne mérite pas cela ; mais qu'elle me la fasse, puisque c'est son désir, je lui en rendrai une comme je pourrai, elle excusera si je la fais mal.

LISETTE. Oui, m'amie, je vous excuserai de bon cœur ; je ne vous
15 demande pas l'impossible.

SILVIA, *répétant d'un air fâché, et à part, en faisant une révérence.* Je ne vous demande pas l'impossible ! Quelle manière de parler !

LISETTE. Quel âge avez-vous, ma fille ?

SILVIA, *piquée*[3]. Je l'ai oublié, ma mère[4].

20 **FLAMINIA,** *à Silvia.* Bon.
Le prince paraît[5], *et affecte d'être surpris.*

---

1. **Avec beaucoup de soumission :** avec un respect teinté de soumission.
2. **Se font des mines :** s'adressent des signes de connivence, d'intelligence.
3. **Piquée :** froissée, vexée.
4. **Ma mère :** Silvia a bien compris que l'expression « ma fille » était méprisante, et elle réagit de façon spirituelle.
5. **Paraît :** réapparaît, revient sur l'avant-scène.

LISETTE. Elle se fâche, je pense ?

LE PRINCE. Mais, Madame, que signifient ces discours-là ? Sous prétexte de venir saluer Silvia, vous lui faites une insulte !

25 **LISETTE.** Ce n'est pas mon dessein. J'avais la curiosité de voir cette petite fille qu'on aime tant, qui fait naître une si forte passion ; et je cherche ce qu'elle a de si aimable. On dit qu'elle est naïve ; c'est un agrément campagnard qui doit la rendre amusante ; priez-la de nous donner quelques traits[1] de naïveté ; voyons son esprit.

30 **SILVIA.** Eh ! non, Madame, ce n'est pas la peine ; il n'est pas si plaisant que le vôtre.

LISETTE, *riant.* Ah ! ah ! vous demandiez du naïf, en voilà.

LE PRINCE, *à Lisette.* Allez-vous-en, Madame.

35 **SILVIA.** Cela m'impatiente à la fin, et si elle ne s'en va, je me fâcherai tout de bon[2].

LE PRINCE, *à Lisette.* Vous vous repentirez de votre procédé[3].

LISETTE, *en se retirant, d'un air dédaigneux.* Adieu ; un pareil objet[4] me venge assez de celui qui en a fait le choix.

Scène 3 LE PRINCE, FLAMINIA, SILVIA

FLAMINIA. Voilà une créature bien effrontée !

SILVIA. Je suis outrée. J'ai bien affaire qu'[5]on m'enlève pour se moquer de moi, chacun a son prix. Ne semble-t-il pas que je ne vaille pas bien ces femmes-là ? Je ne voudrais pas être changée 5 contre elles.

FLAMINIA. Bon ! ce sont des compliments que les injures de cette jalouse-là.

---

1. **Traits :** esquisses, aperçus, exemples.
2. **Tout de bon :** pour de bon.
3. **Procédé :** comportement.
4. **Objet :** objet aimé; personne aimée.
5. **J'ai bien affaire qu' :** j'ai bien mérité (par antiphrase).

LE PRINCE. Belle Silvia, cette femme-là nous a trompés, le prince et moi ; vous m'en voyez au désespoir, n'en doutez pas. Vous savez que je suis pénétré de[1] respect pour vous ; vous connaissez mon cœur. Je venais ici pour me donner la satisfaction de vous voir, pour jeter encore une fois les yeux sur une personne si chère, et reconnaître notre souveraine ; mais je ne prends pas garde que je me découvre[2], que Flaminia m'écoute, et que je vous importune[3] encore.

FLAMINIA, *d'un air naturel.* Quel mal faites-vous ? Ne sais-je pas bien qu'on ne peut la voir sans l'aimer ?

SILVIA. Et moi, je voudrais qu'il ne m'aimât pas, car j'ai du chagrin de ne pouvoir lui rendre le change[4]. Encore si c'était un homme comme tant d'autres, à qui l'on dit ce qu'on veut ; mais il est trop agréable pour qu'on le maltraite, lui : il a toujours été comme vous le voyez.

LE PRINCE. Ah ! que vous êtes obligeante[5], Silvia ! Que puis-je faire pour mériter ce que vous venez de me dire, si ce n'est de vous aimer toujours !

SILVIA. Eh bien ! aimez-moi, à la bonne heure ; j'y aurai du plaisir, pourvu que vous promettiez de prendre votre mal en patience ; car je ne saurais mieux faire, en vérité : Arlequin est venu le premier, voilà tout ce qui vous nuit. Si j'avais deviné que vous viendriez après lui, en bonne foi je vous aurais attendu ; mais vous avez du malheur, et moi je ne suis pas heureuse.

LE PRINCE. Flaminia, je vous en fais juge, pourrait-on cesser d'aimer Silvia ? Connaissez-vous de cœur plus compatissant, plus généreux que le sien ? Non, la tendresse d'un autre me toucherait moins que la seule bonté qu'elle a de me plaindre.

SILVIA, *à Flaminia.* Et moi, je vous en fais juge aussi, là, vous l'entendez ; comment se comporter avec un homme qui me remercie toujours, qui prend tout ce qu'on lui dit en bien ?

---

1. **Pénétré de :** pétri de, plein de.
2. **Que je me découvre :** que je me dévoile.
3. **Je vous importune :** je vous gêne, je vous déplais par mes paroles.
4. **Lui rendre le change :** lui rendre la pareille, l'aimer en retour.
5. **Obligeante :** aimable (terme de politesse).

FLAMINIA. Franchement, il a raison, Silvia : vous êtes charmante,
40 et à sa place je serais tout comme il est.

SILVIA. Ah çà ! n'allez pas l'attendrir encore, il n'a pas besoin qu'on
lui dise que je suis jolie, il le croit assez. *(À Lélio.[1])* Croyez-moi,
tâchez de m'aimer tranquillement, et vengez-moi de cette femme
qui m'a injuriée.

45 **LE PRINCE.** Oui, ma chère Silvia, j'y cours. À mon égard[2], de quelque
façon que vous me traitiez, mon parti est pris ; j'aurais du moins le
plaisir de vous aimer toute ma vie.

SILVIA. Oh ! je m'en doutais bien ; je vous connais.

FLAMINIA. Allez, Monsieur, hâtez-vous d'informer le prince du
50 mauvais procédé de la dame en question, il faut que tout le monde
sache ici le respect qui est dû à Silvia.

LE PRINCE. Vous aurez bientôt de mes nouvelles.
Il sort.

Scène 4 SILVIA, FLAMINIA

FLAMINIA. Vous, ma chère, pendant que je vais chercher Arlequin,
qu'on retient peut-être un peu trop longtemps à table, allez essayer
l'habit qu'on vous a fait, il me tarde de vous le voir.

SILVIA. Tenez, l'étoffe est belle, elle m'ira bien ; mais je ne veux
5 point de tous ces habits-là, car le Prince me veut en troc[3], et jamais
nous ne finirons ce marché-là.

FLAMINIA. Vous vous trompez ; quand[4] il vous quitterait, vous
emporteriez tout ; vraiment, vous ne le connaissez pas.

---

1. *À Lélio :* il s'agit de Luigi Riccoboni (Lélio), qui joue le rôle du Prince.
2. **À mon égard :** me concernant.
3. **En troc :** en échange.
4. **Quand :** quand bien même.

SILVIA. Je m'en vais donc sur votre parole[1] ; pourvu qu'il ne me
dise après : « Pourquoi as-tu pris mes présents ? »

FLAMINIA. Il vous dira : « Pourquoi n'en avoir pas pris davantage ? »

SILVIA. En ce cas-là, j'en prendrai tant qu'il voudra, afin qu'il n'ait
rien à me dire.

FLAMINIA. Allez, je réponds de tout.

Scène 5 — FLAMINIA, ARLEQUIN, *tout éclatant de rire, entre avec* TRIVELIN.

FLAMINIA, *à part.* Il me semble que les choses commencent à
prendre forme. Voici Arlequin. En vérité, je ne sais ; mais si ce petit
homme venait à m'aimer, j'en profiterais de bon cœur.

ARLEQUIN, *riant.* Ah ! ah ! ah ! Bonjour, mon amie.

FLAMINIA, *en souriant.* Bonjour, Arlequin ; dites-moi donc de quoi
vous riez, afin que j'en rie aussi.

ARLEQUIN. C'est que mon valet Trivelin, que je ne paie point,
m'a mené par toutes les chambres de la maison, où l'on trotte
comme dans les rues, où l'on jase comme dans notre halle[2], sans
que le maître de la maison s'embarrasse de tous ces visages-là
et qui viennent chez lui sans lui donner le bonjour, qui vont le
voir manger sans qu'il leur dise : « Voulez-vous boire un coup ? »
Je me divertissais de ces originaux-là en revenant, quand j'ai vu
un grand coquin qui a levé l'habit d'une dame par derrière. Moi,
j'ai cru qu'il lui faisait quelque niche[3], et je lui ai dit bonnement :
« Arrêtez-vous polisson, vous badinez[4] malhonnêtement. » Elle, qui

---

1. **Sur votre parole :** en ayant votre parole.
2. **Notre halle :** lieu où se tiennent les marchés.
3. **Niche :** blague, farce.
4. **Vous badinez :** vous plaisantez.

m'a entendu, s'est retournée et m'a dit : « Ne voyez-vous pas bien qu'il me porte la queue[1] ? – Et pourquoi vous la laissez-vous porter, cette queue ? » ai-je repris. Sur cela, le polisson s'est mis à rire ; la dame riait, Trivelin riait, tout le monde riait ; par compagnie, je me suis mis à rire aussi. À cette heure je vous demande pourquoi nous avons ri, tous ?

FLAMINIA. D'une bagatelle : c'est que vous ne savez pas que ce que vous avez vu faire à ce laquais est un usage parmi les dames.

ARLEQUIN. C'est donc encore un honneur ?

FLAMINIA. Oui, vraiment !

ARLEQUIN. Pardi ! j'ai donc bien fait d'en rire ; car cet honneur-là est bouffon et à bon marché.

FLAMINIA. Vous êtes gai ; j'aime à vous voir comme cela. Avez-vous bien mangé depuis que je vous ai quitté ?

ARLEQUIN. Ah ! morbleu, qu'on a apporté de friandes drogues[2] ! Que le cuisinier d'ici fait de bonnes fricassées[3] ! Il n'y a pas moyen de tenir contre[4] sa cuisine. J'ai tant bu à la santé de Silvia et de vous, que, si vous êtes malade, ce ne sera pas ma faute.

FLAMINIA. Quoi ! Vous vous êtes encore ressouvenu de moi ?

ARLEQUIN. Quand j'ai donné mon amitié à quelqu'un, jamais je ne l'oublie, surtout à table. Mais, à propos de Silvia, est-elle encore avec sa mère ?

TRIVELIN. Mais, Seigneur Arlequin, songerez-vous toujours à Silvia ?

ARLEQUIN. Taisez-vous quand je parle.

FLAMINIA. Vous avez tort, Trivelin.

TRIVELIN. Comment ! j'ai tort !

FLAMINIA. Oui : pourquoi l'empêchez-vous de parler de ce qu'il aime ?

---

1. **La queue :** la traîne de la jupe.
2. **Drogues :** plats préparés avec des épices.
3. **Fricassées :** ragoûts à base de viandes.
4. **Tenir contre :** résister à.

TRIVELIN. À ce que je vois, Flaminia, vous vous souciez beaucoup des intérêts du prince !

FLAMINIA, *comme épouvantée.* Arlequin, cet homme-là me fera des affaires[1] à cause de vous.

50 **ARLEQUIN,** *en colère.* Non, ma bonne. *(À Trivelin.)* Écoute : je suis ton maître, car tu me l'as dit ; je n'en savais rien. Fainéant que tu es ! s'il t'arrive de faire le rapporteur et qu'à cause de toi on fasse seulement la moue à cette honnête fille-là, c'est deux oreilles que tu auras de moins ; je te les garantis dans ma poche.

55 **TRIVELIN.** Je ne suis pas à cela près, et je veux faire mon devoir.

ARLEQUIN. Deux oreilles ; entends-tu bien à présent ? Va-t'en.

TRIVELIN. Je vous pardonne tout à vous, car enfin il le faut ; mais vous me le paierez, Flaminia.
Arlequin veut retourner sur lui, et Flaminia l'arrête. Il sort.

Scène 6 ARLEQUIN, FLAMINIA

ARLEQUIN, *quand il est revenu, dit.* Cela est terrible ! Je n'ai trouvé ici qu'une personne qui entende la raison, et l'on vient chicaner ma conversation[2] avec elle. Ma chère Flaminia, à présent, parlons de Silvia à notre aise ; quand je ne la vois point, il n'y a qu'avec vous 5 que je m'en passe.

FLAMINIA, *d'un air simple.* Je ne suis point ingrate ; il n'y a rien que je ne fisse pour vous rendre contents tous deux ; et d'ailleurs vous êtes si estimable, Arlequin, quand je vois qu'on vous chagrine, je souffre autant que vous.

10 **ARLEQUIN.** La bonne sorte de fille ! Toutes les fois que vous me plaignez, cela m'apaise ; je suis la moitié moins fâché d'être triste.

---

1. **Il me fera des affaires :** il me causera du tort.
2. **Chicaner ma conversation :** contester le fait que je puisse converser avec vous.

FLAMINIA. Pardi ! qui est-ce qui ne vous plaindrait pas ? Qui est-ce qui ne s'intéresserait pas à vous ? Vous ne connaissez pas ce que vous valez, Arlequin.

15 **ARLEQUIN.** Cela se peut bien ; je n'y ai jamais regardé de si près.

FLAMINIA. Si vous saviez combien il m'est cruel de n'avoir point de pouvoir ! si vous lisiez dans mon cœur !

ARLEQUIN. Hélas ! je ne sais point lire, mais vous me l'expliquerez. Par la mardi ![1] je voudrais n'être plus affligé, quand ce ne serait que 20 pour l'amour du[2] souci que cela vous donne ; mais cela viendra.

FLAMINIA, *d'un air triste.* Non, je ne serai jamais témoin de votre contentement, voilà qui est fini ; Trivelin causera, l'on me séparera d'avec vous[3] ; et que sais-je, moi, où l'on m'emmènera ? Arlequin, je vous parle peut-être pour la dernière fois, et il n'y a plus de plai-25 sir pour moi dans le monde.

ARLEQUIN, *triste.* Pour la dernière fois ! J'ai donc bien du gui-gnon[4] ! Je n'ai qu'une pauvre maîtresse, ils me l'ont emportée, vous emporteraient-ils encore ? et où est-ce que je prendrai du courage pour endurer tout cela ? Ces gens-là croient-ils que j'ai un cœur de 30 fer ? ont-ils entrepris mon trépas ?[5] seront-ils aussi barbares ?

FLAMINIA. En tout cas, j'espère que vous n'oublierez jamais Flaminia, qui n'a rien tant souhaité que votre bonheur.

ARLEQUIN. M'amie, vous me gagnez le cœur ; conseillez-moi dans ma peine ; avisons-nous[6] ; quelle est votre pensée ? Car je 35 n'ai pas d'esprit, moi, quand je suis fâché. Il faut que j'aime Silvia ; il faut que je vous garde ; il ne faut pas que mon amour pâtisse de notre amitié, ni notre amitié de mon amour ; et me voilà bien embarrassé.

FLAMINIA. Et moi bien malheureuse ! Depuis que j'ai perdu mon 40 amant, je n'ai eu de repos qu'en votre compagnie, je respire avec

---

1. **Par la mardi ! :** altération du juron « par la mère de Dieu ».
2. **Pour l'amour du :** par crainte du.
3. **D'avec vous :** de vous.
4. **Guignon :** malchance.
5. **Ont-ils entrepris mon trépas ? :** veulent-ils ma mort ?
6. **Avisons-nous :** échangeons nos avis.

vous ; vous lui ressemblez tant, que je crois quelquefois lui parler ; je n'ai vu dans le monde que vous et lui de si aimables.

ARLEQUIN. Pauvre fille ! il est fâcheux que j'aime Silvia ; sans cela je vous donnerais de bon cœur la ressemblance de votre amant[1].
45 C'était donc un joli garçon ?

FLAMINIA. Ne vous ai-je pas dit qu'il était fait comme vous, que vous étiez son portrait ?

ARLEQUIN. Et vous l'aimiez donc beaucoup ?

FLAMINIA. Regardez-vous, Arlequin ; voyez combien vous méritez
50 d'être aimé, et vous verrez combien je l'aimais.

ARLEQUIN. Je n'ai vu personne répondre si doucement que vous. Votre amitié se met partout. Je n'aurais jamais cru être si joli que vous le dites ; mais puisque vous aimiez tant ma copie, il faut bien croire que l'original mérite quelque chose.

55 **FLAMINIA.** Je crois que vous m'auriez encore plu davantage ; mais je n'aurais pas été assez belle pour vous.

ARLEQUIN, *avec feu.* Par la sambille ![2] je vous trouve charmante avec cette pensée-là.

FLAMINIA. Vous me troublez, il faut que je vous quitte ; je n'ai que
60 trop de peine à m'arracher d'auprès de vous ; mais où cela nous conduirait-il ? Adieu, Arlequin, je vous verrai toujours, si on me le permet ; je ne sais où je suis.

ARLEQUIN. Je suis tout de même[3].

FLAMINIA. J'ai trop de plaisir à vous voir.

65 **ARLEQUIN.** Je ne vous refuse pas ce plaisir-là, moi ; regardez-moi à votre aise, je vous rendrai la pareille.

FLAMINIA, *s'en allant.* Je n'oserais ; adieu.

ARLEQUIN, *seul.* Ce pays-ci n'est pas digne d'avoir cette fille-là. Si par quelque malheur Silvia venait à manquer[4], dans mon désespoir
70 je crois que je me retirerais avec elle.

---

1. **La ressemblance de votre amant :** le souvenir de votre amant, à qui je ressemble.
2. **Par la sambille !** : altération du juron « par le sang de Dieu ».
3. **Je suis tout de même :** je suis tout comme vous.
4. **Manquer :** disparaître.

Clefs d'analyse

Compréhension

De l'amitié à l'amour

- Dire quelle nouvelle tactique utilise Flaminia dans la scène 6.
- Dire à quelles fins Flaminia invente la fiction de l'amoureux ressemblant à Arlequin.
- Relever le mot qui, dans les didascalies, prouve que Flaminia joue la comédie.

Le cœur d'Arlequin balance

- Relever les expressions qui témoignent de l'amour d'Arlequin pour Silvia et Flaminia à la fois.
- Montrer que la syntaxe est au service de la mise à égalité des deux jeunes femmes, dans le cœur d'Arlequin.

Réflexion

Exploitation subtile de la double énonciation

- Montrer que le public ne comprend pas les paroles d'Arlequin comme celui-ci les entend.
- Relever les expressions populaires qui ajoutent à la sincérité et à la naïveté d'Arlequin.

Machiavélisme et sincérité

- Revenir à ce que révélait l'aparté de Flaminia au début de la scène 5.
- Expliquer en quoi cet aparté contrebalance la rouerie de Flaminia.

> ### À retenir
> *Marivaux use de la double énonciation pour nous faire connaître le cœur d'Arlequin avant lui. Flaminia n'ignore rien des ressorts du cœur humain. Sa finesse psychologique n'est pas sans annoncer celle de la marquise de Merteuil : elle agit de sang froid et sait jouer la comédie des sentiments. Il semble pourtant qu'elle s'éprenne vraiment du rustique Arlequin... Cet amour n'est-il destiné qu'à atténuer l'immoralité de la pièce ?*

Clefs d'analyse

Scène 7 Trivelin *arrive avec un* Seigneur *qui vient derrière lui*, Arlequin.

Trivelin. Seigneur Arlequin, n'y a-t-il point de risque à reparaître ? N'est-ce point compromettre mes épaules ? Car vous jouez merveilleusement de votre épée de bois.

Arlequin. Je serai bon quand vous serez sage.

5 **Trivelin.** Voilà un Seigneur qui demande à vous parler.
Le Seigneur approche et fait des révérences, qu'Arlequin lui rend.

Arlequin, *à part.* J'ai vu cet homme-là quelque part.

Le seigneur. Je viens vous demander une grâce ; mais ne vous incommoderai-je point, Monsieur Arlequin ?

10 **Arlequin.** Non, Monsieur ; vous ne me faites ni bien ni mal, en vérité. *(Et voyant le Seigneur qui se couvre.)* Vous n'avez seulement qu'à me dire si je dois aussi mettre mon chapeau.

Le seigneur. De quelque façon que vous soyez, vous me ferez honneur.

15 **Arlequin,** *se couvrant.* Je vous crois, puisque vous le dites. Que souhaite de moi Votre Seigneurie ? Mais ne faites point de compliments, ce serait autant de perdu, car je n'en sais point rendre.

Le seigneur. Ce ne sont point des compliments, mais des témoignages d'estime.

20 **Arlequin.** Galbanum[1] que tout cela ! Votre visage ne m'est point nouveau, Monsieur ; je vous ai vu quelque par à la chasse, où vous jouiez de la trompette ; je vous ai ôté mon chapeau[2] en passant, et vous me devez ce coup de chapeau-là.

Le seigneur. Quoi ! Je ne vous saluai point ?

25 **Arlequin.** Pas un brin[3].

---

1. **Galbanum :** au sens propre, le galbanum est une gomme servant à piéger les renards ; au sens figuré, le mot désigne une promesse fallacieuse.
2. **Je vous ai ôté mon chapeau :** je vous ai salué.
3. **Pas un brin :** pas le moins du monde.

LE SEIGNEUR. Je ne m'aperçus donc pas de votre honnêteté[1] ?

ARLEQUIN. Oh ! que si ! mais vous n'aviez pas de grâce à me demander ; voilà pourquoi je perdis mon étalage[2].

LE SEIGNEUR. Je ne me reconnais point à cela.

ARLEQUIN. Ma foi ! vous n'y perdez rien. Mais que vous plaît-il ?[3]

LE SEIGNEUR. Je compte sur votre bon cœur ; voici ce que c'est : j'ai eu le malheur de parler cavalièrement[4] de vous devant le prince...

ARLEQUIN. Vous n'avez encore qu'à ne vous pas reconnaître[5] à cela.

LE SEIGNEUR. Oui ; mais le prince s'est fâché contre moi.

ARLEQUIN. Il n'aime donc pas les médisants ?

LE SEIGNEUR. Vous le voyez bien.

ARLEQUIN. Oh ! oh ! voilà qui me plaît ; c'est un honnête homme ; s'il ne me retenait pas ma maîtresse, je serais fort content de lui. Et que vous a-t-il dit ? Que vous étiez un malappris ?

LE SEIGNEUR. Oui.

ARLEQUIN. Cela est très raisonnable. De quoi vous plaignez-vous ?

LE SEIGNEUR. Ce n'est pas là tout : « Arlequin, m'a-t-il répondu, est un garçon d'honneur. Je veux qu'on l'honore, puisque je l'estime ; la franchise et la simplicité de son caractère sont des qualités que je voudrais que vous eussiez tous. Je nuis à son amour, et je suis au désespoir que le mien m'y force. »

ARLEQUIN, *attendri.* Par la morbleu ! je suis son serviteur ; franchement, je fais cas de lui[6], et je croyais être plus en colère contre lui que je ne le suis.

---

1. **Honnêteté :** marque de politesse.
2. **Je perdis mon étalage :** je fis montre de politesse, en vain.
3. **Que vous plaît-il ? :** Que puis-je pour vous ?
4. **Cavalièrement :** de manière irrespectueuse.
5. **Ne vous pas reconnaître :** ne pas vous reconnaître.
6. **Je fais cas de lui :** j'ai de l'estime pour lui.

LE SEIGNEUR. Ensuite il m'a dit de me retirer ; mes amis là-dessus ont tâché de le fléchir pour moi.

55 **ARLEQUIN.** Quand ces amis-là s'en iraient aussi avec vous, il n'y aurait pas grand mal ; car, dis-moi qui tu hantes[1] et je te dirai qui tu es.

LE SEIGNEUR. Il s'est aussi fâché contre eux.

ARLEQUIN. Que le ciel bénisse cet homme de bien ; il a vidé là sa maison d'une mauvaise graine de gens.

60 **LE SEIGNEUR.** Et nous ne pouvons reparaître tous qu'à condition que vous demandiez notre grâce.

ARLEQUIN. Par ma foi ! Messieurs, allez où il vous plaira ; je vous souhaite un bon voyage.

LE SEIGNEUR. Quoi ! vous refuserez de prier pour moi[2] ? Si vous
65 n'y consentiez pas, ma fortune serait ruinée ; à présent qu'il ne m'est plus permis de voir le prince, que ferais-je à la cour ? Il faudra que je m'en aille dans mes terres, car je suis comme exilé.

ARLEQUIN. Comment ! être exilé, ce n'est donc point vous faire d'autre mal que de vous envoyer manger votre bien chez vous ?

70 **LE SEIGNEUR.** Vraiment non ; voilà ce que c'est.

ARLEQUIN. Et vous vivrez là paix et aise[3] ; vous ferez vos quatre repas comme à l'ordinaire ?

LE SEIGNEUR. Sans doute ; qu'y a-t-il d'étrange à cela ?

ARLEQUIN. Ne me trompez-vous pas ? Est-il sûr qu'on est exilé
75 quand on médit ?

LE SEIGNEUR. Cela arrive assez souvent.

ARLEQUIN, *saute d'aise.* Allons, voilà qui est fait, je m'en vais médire du premier venu, et j'avertirai Silvia et Flaminia d'en faire autant.

LE SEIGNEUR. Et la raison de cela ?

80 **ARLEQUIN.** Parce que je veux aller en exil, moi. De la manière dont on punit les gens ici, je vais gager qu'il y a plus de gain à être puni que récompensé.

---

1. **Qui tu hantes :** qui tu fréquentes.
2. **Prier pour moi :** me défendre, intercéder en ma faveur.
3. **Paix et aise :** dans la quiétude et le confort.

Le seigneur. Quoi qu'il en soit, épargnez-moi cette punition-là, je vous prie. D'ailleurs ce que j'ai dit de vous n'est pas grand-chose.

85 **Arlequin.** Qu'est-ce que c'est ?

Le seigneur. Une bagatelle, vous dis-je.

Arlequin. Mais voyons.

Le seigneur. J'ai dit que vous aviez l'air d'un homme ingénu, sans malice ; là, d'un garçon de bonne foi.

90 **Arlequin,** *rit de tout son cœur.* L'air d'un innocent, pour parler à la franquette[1] ; mais qu'est-ce que cela fait ? Moi, j'ai l'air d'un innocent ; vous, vous avez l'air d'un homme d'esprit ; eh bien ! à cause de cela faut-il s'en fier à notre air ? N'avez-vous rien dit que cela ?

Le seigneur. Non ; j'ai ajouté seulement que vous donniez la
95 comédie[2] à ceux qui vous parlaient.

Arlequin. Pardi ! il faut bien vous donner votre revanche[3] à vous autres. Voilà donc tout ?

Le seigneur. Oui.

Arlequin. C'est se moquer ; vous ne méritez pas d'être exilé,
00 vous avez cette bonne fortune-là pour rien.

Le seigneur. N'importe, empêchez que je ne le sois. Un homme comme moi ne peut demeurer qu'à la Cour. Il n'est en considération, il n'est en état de pouvoir se venger de ses envieux qu'autant qu'il se rend agréable au prince, et qu'il cultive l'amitié de ceux qui
05 gouvernent les affaires.

Arlequin. J'aimerais mieux cultiver un bon champ, cela rapporte toujours peu ou prou[4], et je me doute que l'amitié de ces gens-là n'est pas aisée à avoir ni à garder.

Le seigneur. Vous avez raison dans le fond : ils ont quelque-
10 fois des caprices fâcheux, mais on n'oserait s'en ressentir[5], on les

---

1. **À la franquette :** en toute simplicité, franchement (familier).
2. **Vous donniez la comédie :** vous faisiez rire en vous donnant en spectacle.
3. **Donner votre revanche :** payer de retour, rendre la pareille.
4. **Peu ou prou :** plus ou moins.
5. **S'en ressentir :** en éprouver de la rancune.

ménage, on est souple avec eux, parce que c'est par leur moyen que vous vous vengez des autres.

ARLEQUIN. Quel trafic ! C'est justement recevoir des coups de bâtons d'un côté, pour avoir le privilège d'en donner d'un autre ;
115 voilà une drôle de vanité ! À vous voir si humbles, vous autres, on ne croirait jamais que vous êtes si glorieux.

LE SEIGNEUR. Nous sommes élevés là-dedans. Mais écoutez ; vous n'aurez point de peine à me remettre en faveur ; car vous connaissez bien Flaminia ?

120 **ARLEQUIN.** Oui, c'est mon intime.

LE SEIGNEUR. Le prince a beaucoup de bienveillance pour elle ; elle est la fille d'un de ses officiers ; et je me suis imaginé de lui faire sa fortune en la mariant à un petit-cousin que j'ai à la campagne, que je gouverne[1] et qui est riche. Dites-le au prince ; mon
125 dessein me conciliera ses bonnes grâces.

ARLEQUIN. Oui ; mais ce n'est pas là le chemin des miennes ; car je n'aime point qu'on épouse mes amies, moi, et vous n'imaginez rien qui vaille avec votre petit-cousin.

LE SEIGNEUR. Je croyais…

130 **ARLEQUIN.** Ne croyez plus.

LE SEIGNEUR. Je renonce à mon projet.

ARLEQUIN. N'y manquez pas ; je vous promets mon intercession, sans que le petit-cousin s'en mêle.

LE SEIGNEUR. Je vous aurai beaucoup d'obligation ; j'attends l'effet
135 de vos promesses. Adieu, Monsieur Arlequin.

ARLEQUIN. Je suis votre serviteur. Diantre ! je suis en crédit, car on fait ce que je veux. Il ne faut rien dire à Flaminia du cousin.

---

1. **Que je gouverne :** que je commande.

Scène 8 <small>ARLEQUIN, FLAMINIA</small>

FLAMINIA, *arrive.* Mon cher, je vous amène Silvia ; elle me suit.

ARLEQUIN. Mon amie, vous deviez bien venir m'avertir plus tôt ! nous l'aurions attendue en causant ensemble.

Scène 9 <small>SILVIA, ARLEQUIN, FLAMINIA</small>

SILVIA. Bonjour, Arlequin. Ah ! que je viens d'essayer un bel habit ! Si vous me voyiez, en vérité, vous me trouveriez jolie ; demandez à Flaminia. Ah ! ah ! si je portais ces habits-là, les femmes d'ici seraient bien attrapées, elles ne diraient pas que j'ai l'air gauche. Oh ! que les ouvrières d'ici sont habiles !

ARLEQUIN. Ah, m'amour, elles ne sont pas si habiles que vous êtes bien faite.

SILVIA. Si je suis bien faite, Arlequin, vous n'êtes pas moins honnête.

FLAMINIA. Du moins ai-je le plaisir de vous voir un peu plus contents à présent.

SILVIA. Eh ! dame, puisqu'on ne nous gêne plus, j'aime autant être ici qu'ailleurs ; qu'est-ce que cela fait d'être là ou là ? On s'aime partout.

ARLEQUIN. Comment, nous gêner ! On envoie les gens me demander pardon pour la moindre impertinence qu'ils disent de moi.

SILVIA, *d'un air content.* J'attends une dame aussi, moi, qui viendra devant moi se repentir de ne m'avoir pas trouvée belle.

FLAMINIA. Si quelqu'un vous fâche dorénavant, vous n'avez qu'à m'en avertir.

83

ARLEQUIN. Pour cela, Flaminia nous aime comme si nous étions frères et sœurs. *(Il dit cela à Flaminia.)* Aussi, de notre part, c'est queussi queumi[1].

SILVIA. Devinez, Arlequin, qui j'ai encore rencontré ici ? Mon
25 amoureux qui venait me voir chez nous, ce grand monsieur si bien tourné. Je veux que vous soyez amis ensemble, car il a bon cœur aussi.

ARLEQUIN, *d'un air négligent.* À la bonne heure, je suis de tous bons accords[2].

30 **SILVIA.** Après tout, quel mal y a-t-il qu'il me trouve à son gré ? Prix pour prix[3], les gens qui nous aiment sont de meilleure compagnie que ceux qui ne se soucient pas de nous, n'est-il pas vrai ?

FLAMINIA. Sans doute.

ARLEQUIN, *gaiement.* Mettons encore Flaminia, elle se soucie de
35 nous, et nous serons partie carrée[4].

FLAMINIA. Arlequin, vous me donnez là une marque d'amitié que je n'oublierai point.

ARLEQUIN. Ah çà ! puisque nous voilà ensemble, allons faire une collation[5] ; cela amuse.

40 **SILVIA.** Allez, allez, Arlequin ; à cette heure que[6] nous nous voyons quand nous voulons, ce n'est pas la peine de nous ôter notre liberté à nous-mêmes ; ne vous gênez point.
Arlequin fait signe à Flaminia de venir.

FLAMINIA, *sur son geste, dit.* Je m'en vais avec vous ; aussi bien[7]
45 voilà quelqu'un qui entre et qui tiendra compagnie à Silvia.

---

1. **C'est queussi queumi :** expression populaire des paysans de la région parisienne signifiant « même chose pour moi ».
2. **Je suis de tous bons accords :** je suis disposé à tous les bons arrangements.
3. **Prix pour prix :** somme toute.
4. **Partie carrée :** deux hommes et deux femmes réunis pour un repas ou une promenade.
5. **Faire une collation :** goûter.
6. **À cette heure que :** à cette heure où.
7. **Aussi bien :** d'ailleurs.

Clefs d'analyse

Compréhension

▌ *De nouvelles retrouvailles*

- Dire depuis quand Silvia et Arlequin ne se sont plus vus.
- Comparer le début de cette scène à celui de la scène 11 de l'acte I.
- Dire ce qui préoccupe Silvia au début de la scène 9.

▌ *Un duo d'amour empêché ?*

- Justifier la présence de Flaminia.
- Remarquer avec qui Flaminia quitte la scène et ce qui motive le départ d'Arlequin.

Réflexion

▌ *Le désamour*

- Commenter l'usage que fait Silvia de « mon amoureux » à la ligne 24.
- Parallèlement, dire ce que révèle la réplique d'Arlequin aux lignes 34 et 35.

▌ *Double énonciation et humour*

- Expliquer ce qui amuse les spectateurs dans cette scène 9.
- Dire quels défauts sont exploités par Flaminia et le prince pour corrompre Silvia et Arlequin.

> ### À retenir
> *Marivaux exploite en permanence la double énonciation, en jouant subtilement sur le décalage entre ce que le spectateur comprend et ce que Silvia et Arlequin croient dire. Alors que les deux jeunes promis continuent de se dire l'un à l'autre (mollement) leur amour, c'est le désamour qui affleure dans leur nouvelle gaieté comme dans leur promptitude à se séparer.*

Clefs d'analyse

85

Scène 10 LISETTE *entre avec quelques femmes pour témoins de ce qu'elle va faire, et qui restent derrière* SILVIA.

Lisette fait de grandes révérences.

SILVIA, *d'un air un peu piqué.* Ne faites point tant de révérences, Madame ; cela m'exemptera de vous en faire ; je m'y prends de si mauvaise grâce, à votre fantaisie[1] !

LISETTE, *d'un ton triste.* On ne vous trouve que trop de mérite.

5 **SILVIA.** Cela se passera. Ce n'est pas moi qui ai envie de plaire, telle que vous me voyez ; il me fâche assez d'être si jolie, et que vous ne soyez pas assez belle.

LISETTE. Ah ! quelle situation !

SILVIA. Vous soupirez à cause d'une petite villageoise, vous
10 êtes bien de loisir[2] ; et où avez-vous mis votre langue de tantôt, Madame ? Est-ce que vous n'avez plus de caquet[3] quand il faut bien dire ?

LISETTE. Je ne puis me résoudre à parler.

SILVIA. Gardez donc le silence ; car lorsque vous vous lamenteriez
15 jusqu'à demain, mon visage n'empirera pas ; beau ou laid, il restera comme il est. Qu'est-ce que vous me voulez ? Est-ce que vous ne m'avez pas assez querellée ? Eh bien ! achevez, prenez-en votre suffisance[4].

LISETTE. Épargnez-moi, Mademoiselle ; l'emportement que j'ai
20 eu contre vous a mis toute ma famille dans l'embarras ; le prince

---

1. **À votre fantaisie :** d'après vous.
2. **Vous êtes bien de loisir :** vous avez bien des loisirs, vous avez beaucoup de temps à perdre.
3. **Caquet :** bavardage.
4. **Votre suffisance :** de quoi vous satisfaire ; votre content.

m'oblige à venir vous faire une réparation, et je vous prie de la recevoir sans me railler.

SILVIA. Voilà qui est fini, je ne me moquerai plus de vous ; je sais bien que l'humilité n'accommode pas les glorieux[1], mais la rancune
25 donne de la malice. Cependant je plains votre peine, et je vous pardonne. De quoi aussi vous avisiez-vous de me mépriser ?

LISETTE. J'avais cru m'apercevoir que le Prince avait quelque inclination pour moi, et je ne croyais pas en être indigne ; mais je vois bien que ce n'est pas toujours aux agréments qu'on se rend.

30 **SILVIA,** *d'un ton vif.* Vous verrez que c'est à la laideur et à la mauvaise façon, à cause qu'on se rend à moi[2]. Comme ces jalouses ont l'esprit tourné !

LISETTE. Eh bien ! oui, je suis jalouse, il est vrai ; mais puisque vous n'aimez pas le prince, aidez- moi à le remettre dans les dis-
35 positions où j'ai cru qu'il était pour moi : il est sûr que je ne lui déplaisais pas, et je le guérirai de l'inclination qu'il a pour vous, si vous me laissez faire.

SILVIA, *d'un air piqué.* Croyez-moi, vous ne le guérirez de rien ; mon avis est que cela vous passe[3].

40 **LISETTE.** Cependant cela me paraît possible ; car enfin je ne suis ni maladroite, ni désagréable.

SILVIA. Tenez, tenez, parlons d'autre chose ; vos bonnes qualités m'ennuient.

LISETTE. Vous me répondez d'une étrange manière ! Quoi qu'il en soit,
45 avant qu'il soit quelques jours[4], nous verrons si j'ai si peu de pouvoir.

SILVIA, *vivement.* Oui, nous verrons des balivernes[5]. Pardi ![6] je parlerai au prince ; il n'a pas encore osé me parler, lui, à cause que je suis trop fâchée ; mais je lui ferai dire qu'il s'enhardisse, seulement pour voir.

---

1. **N'accommode pas les glorieux :** ne convient pas aux vantards.
2. **À cause qu'on se rend à moi :** qui fait qu'on s'éprend de moi.
3. **Cela vous passe :** cela vous dépasse.
4. **Avant qu'il soit quelques jours :** bientôt.
5. **Balivernes :** sornettes, fadaises.
6. **Pardi !** : altération du juron « par Dieu ! ».

50 **LISETTE.** Adieu, Mademoiselle ; chacune de nous fera ce qu'elle pourra. J'ai satisfait[1] à ce qu'on exigeait de moi à votre égard, et je vous prie d'oublier tout ce qui s'est passé entre nous.

SILVIA, *brusquement.* Marchez, marchez, je ne sais pas seulement si vous êtes au monde.

Scène 11   SILVIA, FLAMINIA *arrive.*

FLAMINIA. Qu'avez-vous, Silvia ? Vous êtes bien émue !

SILVIA. J'ai... que je suis en colère ; cette impertinente femme de tantôt[2] est venue pour me demander pardon ; et, sans faire sem-blant de rien, voyez la méchanceté, elle m'a encore fâchée, m'a 5 dit que c'était à ma laideur qu'on se rendait ; qu'elle était plus agréable, plus adroite que moi ; qu'elle ferait bien passer l'amour du prince ; qu'elle allait travailler pour cela ; que je verrais... pati, pata[3] ; que sais-je moi, tout ce qu'elle a mis en avant contre mon visage ! Est-ce que je n'ai pas raison d'être piquée ?

10 **FLAMINIA,** *d'un air vif et d'intérêt.* Écoutez ; si vous ne faites taire tous ces gens-là, il faut vous cacher pour toute votre vie.

SILVIA. Je ne manque pas de bonne volonté ; mais c'est Arlequin qui m'embarrasse.

FLAMINIA. Eh ! je vous entends ; voilà un amour aussi mal placé, 15 qui se rencontre là aussi mal à propos qu'on le puisse.

SILVIA. Oh ! j'ai toujours eu du guignon dans les rencontres.

FLAMINIA. Mais si Arlequin vous voit sortir de la Cour et mépri-sée, pensez-vous que cela le réjouisse ?

---

1. **J'ai satisfait :** j'ai donné satisfaction, j'ai accompli.
2. **Tantôt :** désigne un passé récent (comme ici) ou un futur proche.
3. **Pati, pata :** et patati et patata.

SILVIA. Il ne m'aimera pas tant, voulez-vous dire ?

20 **FLAMINIA.** Il y a tout à craindre.

SILVIA. Vous me faites rêver à une chose : ne trouvez-vous pas qu'il est un peu négligent depuis que nous sommes ici ? il m'a quittée tantôt pour aller goûter ; voilà une belle excuse !

FLAMINIA. Je l'ai remarqué comme vous ; mais ne me trahissez
25 pas au moins ; nous nous parlons de fille à fille. Dites-moi, après tout, l'aimez-vous tant, ce garçon ?

SILVIA, *d'un air indifférent.* Mais vraiment, oui, je l'aime, il le faut bien.

FLAMINIA. Voulez-vous que je vous dise ? Vous me paraissez mal
30 assortis ensemble. Vous avez du goût, de l'esprit, l'air fin et distingué ; il a l'air pesant, les manières grossières ; cela ne cadre point et je ne comprends pas comment vous l'avez aimé ; je vous dirai même que cela vous fait tort.

SILVIA. Mettez-vous à ma place. C'était le garçon le plus passable
35 de nos cantons ; il demeurait dans mon village ; il était mon voisin ; il est assez facétieux[1], je suis de bonne humeur ; il me faisait quelquefois rire ; il me suivait partout ; il m'aimait ; j'avais coutume de le voir, et de coutume en coutume[2] je l'ai aimé aussi, faute de mieux ; mais j'ai toujours bien vu qu'il était enclin au vin et à la
40 gourmandise.

FLAMINIA. Voilà de jolies vertus, surtout dans l'amant de l'aimable et tendre Silvia ! Mais à quoi vous déterminez-vous donc ?

SILVIA. Je ne puis que dire[3] ; il me passe tant de oui et de non par la tête, que je ne sais auquel entendre[4]. D'un côté, Arlequin est un
45 petit négligent qui ne songe ici qu'à manger ; d'un autre côté, si l'on me renvoie, ces glorieuses de femmes feront accroire[5] partout qu'on m'aura dit : « Va-t'en, tu n'es pas assez jolie. » D'un autre côté, ce monsieur que j'ai retrouvé ici…

---

1. **Facétieux :** espiègle.
2. **De coutume en coutume :** petit à petit, peu à peu.
3. **Je ne puis que dire :** je ne sais que dire.
4. **Auquel entendre :** auquel prêter l'oreille.
5. **Feront accroire :** feront courir le bruit.

FLAMINIA. Quoi ?

50 **SILVIA.** Je vous le dis en secret ; je ne sais ce qu'il m'a fait depuis que je l'ai revu ; mais il m'a toujours paru si doux, il m'a dit des choses si tendres, il m'a conté son amour d'un air si poli, si humble, que j'en ai une véritable pitié, et cette pitié-là m'empêche encore d'être la maîtresse de moi.

55 **FLAMINIA.** L'aimez-vous ?

SILVIA. Je ne crois pas ; car je dois aimer Arlequin.

FLAMINIA. C'est un homme aimable.

SILVIA. Je le sens bien.

FLAMINIA. Si vous négligiez de vous venger pour l'épouser, je
60 vous le pardonnerais ; voilà la vérité.

SILVIA. Si Arlequin se mariait à une autre fille que moi, à la bonne heure. Je serais en droit de lui dire : « Tu m'as quittée, je te quitte, je prends ma revanche » ; mais il n'y a rien à faire. Qui est-ce qui voudrait d'Arlequin ici, rude et bourru[1] comme il est ?

65 **FLAMINIA.** Il n'y a pas presse[2], entre nous. Pour moi j'ai toujours eu dessein de passer ma vie aux champs ; Arlequin est grossier ; je ne l'aime point, mais je ne le hais pas ; et, dans les sentiments où je suis, s'il voulait, je vous en débarrasserais volontiers pour vous faire plaisir.

70 **SILVIA.** Mais mon plaisir, où est-il ? il n'est ni là, ni là ; je le cherche.

FLAMINIA. Vous verrez le prince aujourd'hui. Voici ce cavalier qui vous plaît ; tâchez de prendre votre parti. Adieu, nous nous retrouverons tantôt[3].

---

1. **Bourru :** peu aimable.
2. **Il n'y a pas presse :** nous pouvons parler sans contrainte.
3. **Tantôt :** tout à l'heure.

Clefs d'analyse

Compréhension

Silvia, déçue par Arlequin

- Chercher ce qui motive la déception de Silvia.
- Relever les traits de caractère d'Arlequin sur lesquels Silvia et Flaminia insistent : que révèle ce portrait ?

Flaminia, confidente manipulatrice

- Dire sur quel ressort joue Flaminia au début de la scène 11.
- Dire ce que révèle la didascalie : *d'un air indifférent*, à la ligne 27.
- Expliquer comment Flaminia s'y prend pour parvenir à ce que Silvia voie clair dans son cœur.

Réflexion

Silvia avoue son nouvel amour

- Relever les procédés d'écriture qui donnent de la force à l'expression de l'amour, des lignes 50 à 54.
- Commenter : « Je ne crois pas ; car je dois aimer Arlequin » (ligne 56).

Finesse de l'analyse psychologique

- Donner les raisons pour lesquelles Flaminia n'avoue pas complètement son amour pour Arlequin à Silvia.
- Commenter la réponse de Silvia : « Mais mon plaisir, où est-il ? Il n'est ni là, ni là ; je le cherche » (ligne 70).
- Dire comment Flaminia joue sur l'amour-propre de Silvia.

> ### À retenir
> *Le désamour de Silvia est accompli, même si elle refuse encore de se l'avouer. Certes, Flaminia la manipule, mais ce faisant elle lui permet de prendre conscience de la vérité de son cœur. Arlequin est un homme fruste avec lequel elle peut craindre de finir par s'ennuyer. Quant au bel officier dont elle ignore qu'il est le prince, elle découvre avec lui une délicatesse de sentiment qui la ravit et correspond à ses aspirations profondes.*

Scène 12   SILVIA, LE PRINCE *qui entre.*

SILVIA. Vous venez ; vous allez encore me dire que vous m'aimez, pour me mettre davantage en peine.

LE PRINCE. Je venais voir si la dame qui vous a fait insulte s'était bien acquittée de son devoir. Quant à moi, belle Silvia, quand mon
5 amour vous fatiguera, quand je vous déplairai moi-même, vous n'avez qu'à m'ordonner de me taire et de me retirer ; je me tairai, j'irai où vous voudrez, et je souffrirai sans me plaindre, résolu de[1] vous obéir en tout.

SILVIA. Ne voilà-t-il pas ?[2] Ne l'ai-je pas bien dit ? Comment voulez-
10 vous que je vous renvoie ? Vous vous tairez, s'il me plaît ; vous vous en irez, s'il me plaît ; vous n'oserez pas vous plaindre, vous m'obéirez en tout. C'est bien là le moyen de faire que je vous commande quelque chose !

LE PRINCE. Mais que puis-je mieux[3] que de vous rendre maîtresse
15 de mon sort ?

SILVIA. Qu'est-ce que cela avance ? Vous rendrai-je malheureux ? en aurai-je le courage ? Si je vous dis : « Allez-vous-en », vous croirez que je vous hais ; si je vous dis de vous taire, vous croirez que je ne me soucie pas de vous ; et toutes ces croyances-là ne
20 seront pas vraies ; elles vous affligeront ; en serai-je plus à mon aise après ?

LE PRINCE. Que voulez-vous donc que je devienne, belle Silvia ?

SILVIA. Oh ! ce que je veux ! j'attends qu'on me le dise ; j'en suis encore plus ignorante que vous ; voilà Arlequin qui m'aime, voilà
25 le prince qui demande mon cœur ; voilà vous qui méritez de l'avoir ; voilà ces femmes qui m'injurient et que je voudrais punir ; voilà que j'aurai un affront, si je n'épouse pas le prince ; Arlequin m'inquiète ; vous me donnez du souci, vous m'aimez trop ; je

---

1. **Résolu de :** résolu à.
2. **Ne voilà-t-il pas ? :** n'est-ce pas ? (sous entendu : comme je l'avais prévu).
3. **Mieux que :** faire de mieux que.

voudrais ne vous avoir jamais connu, et je suis bien malheureuse
30 d'avoir tout ce tracas-là dans la tête.

LE PRINCE. Vos discours me pénètrent[1], Silvia. Vous êtes trop
touchée de ma douleur ; ma tendresse, toute grande qu'elle est, ne
vaut pas le chagrin que vous avez de ne pouvoir m'aimer.

SILVIA. Je pourrais bien vous aimer ; cela ne serait pas difficile, si
35 je voulais.

LE PRINCE. Souffrez donc que je m'afflige, et ne m'empêchez pas
de vous regretter toujours.

SILVIA, *comme impatiente.* Je vous en avertis, je ne saurais supporter de vous voir si tendre ; il semble que vous le fassiez exprès. Y
40 a-t-il de la raison à cela ? Pardi ! j'aurai moins de mal à vous aimer
tout à fait qu'à être comme je le suis. Pour moi, je laisserai tout là,
voilà ce que vous gagnerez.

LE PRINCE. Je ne veux donc plus vous être à charge ; vous souhai-
tez que je vous quitte ; je ne dois pas résister aux volontés d'une
45 personne si chère. Adieu, Silvia.

SILVIA, *vivement.* Adieu, Silvia ! je vous querellerais[2] volontiers ; où
allez-vous ? Restez-là, c'est ma volonté ; je la sais mieux que vous,
peut-être.

LE PRINCE. J'ai cru vous obliger[3].

50 **SILVIA.** Quel train[4] que tout cela ! Que faire d'Arlequin ? Encore si
c'était vous qui fût[5] le prince !

LE PRINCE, *d'un air ému.* Et quand je le serais ?

SILVIA. Cela serait différent, parce que je dirais à Arlequin que
vous prétendriez être le maître ; ce serait mon excuse ; mais il n'y a
55 que pour vous que je voudrais prendre cette excuse-là.

---

1. **Me pénètrent :** me touchent profondément.
2. **Je vous querellerais :** je me disputerais avec vous.
3. **Vous obliger :** vous rendre service.
4. **Quel train :** quelle histoire.
5. **Qui fût :** on devrait avoir « qui fussiez », imparfait du subjonctif de la deuxième
   personne du pluriel.

LE PRINCE, *à part.* Qu'elle est aimable ! il est temps de dire qui je suis.

SILVIA. Qu'avez-vous ? est-ce que je vous fâche ? Ce n'est pas à cause de la principauté que je voudrais que vous fussiez prince,
60 c'est seulement à cause de vous tout seul ; et si vous l'étiez, Arlequin ne saurais pas que je vous prendrais[1] par amour ; voilà ma raison. Mais non, après tout, il vaut mieux que vous ne soyez pas le maître ; cela me tenterait trop. Et quand vous le seriez, tenez, je ne pourrais me résoudre à être une infidèle ; voilà qui est fini.

65 **LE PRINCE,** *à part les premiers mots.* Différons encore de l'instruire[2]. Silvia, conservez-moi seulement les bontés que vous avez pour moi : le prince vous a fait préparer un spectacle ; permettez que je vous y accompagne et que je profite de toutes les occasions d'être avec vous. Après fête, vous verrez le prince ; et je suis chargé
70 de vous dire que vous serez libre de vous retirer, si votre cœur ne vous dit rien pour lui.

SILVIA. Oh ! il ne me dira pas un mot ; c'est tout comme si j'étais partie ; mais quand je serai chez nous, vous y viendrez ; eh ! que sait-on ce qui peut arriver ? peut-être que vous m'aurez. Allons-
75 nous-en toujours, de peur qu'Arlequin ne vienne.

---

1. **Prendrais :** épouserais.
2. **Différons encore de l'instruire :** attendons encore pour la mettre au courant (lui dire qui je suis).

Clefs d'analyse

Compréhension

Le prince, parfait amant courtois

- Relever les nombreuses marques de soumission du prince à la femme qu'il aime.
- Dire dans quel moule se coule le prince pour séduire celle qu'il aime.
- Commenter l'appellatif « belle Silvia ».

Silvia, tiraillée entre son amour et son devoir

- Relever les expressions qui marquent le désarroi de Silvia.
- Dire ce que révèle son refus de laisser le prince s'en aller (lignes 46 à 48).

Réflexion

Le triomphe de l'amour

- Relever les expressions et les procédés d'écriture qui manifestent la colère de Silvia.
- Dire ce que révèle sa colère contre le prince, contrastant avec la parfaite soumission de ce dernier.
- Relever les phrases par lesquelles Silvia avoue au prince (qu'elle prend pour un officier) son amour.

Le recul du dénouement

- Commenter les apartés du prince, lignes 56-57 et 65-66.
- Justifier le fait que le prince n'avoue pas encore son identité.
- Dire où réside l'humour dans cette scène, et préciser quelle en est la tonalité.

> ## À retenir
>
> *Marivaux exploite avec brio la vivacité de Silvia, son tempérament fougueux, ses impatiences. Cette fougue contraste avec la tendre et calme soumission du prince. Elle laisse s'épanouir une nouvelle écriture dramatique, naturelle et spirituelle à la fois, sincère de la part du personnage et ambigüe de la part de l'auteur.*

Clefs d'analyse

Synthèse Acte II

La manipulation des villageois

Personnages

▎ Flaminia, fausse confidente, vraie meneuse de jeu

Le deuxième acte voit se déployer les stratégies de Flaminia, amie et confidente d'Arlequin et de Silvia. Face à Arlequin, Flaminia invente la fable d'un amoureux qui lui ressemblait, pour mieux s'insinuer dans son cœur. Elle pousse Silvia à exprimer son amour naissant pour un officier du palais (qui n'est autre que le prince déguisant sa véritable identité, et tout près de la révéler à Silvia à la fin de l'acte, dans la scène 12). Pour précipiter l'attachement d'Arlequin, elle fait mine d'être menacée d'être chassée du palais (scène 6). Elle amène aussi la jeune Silvia à mettre à distance son amour pour le fruste Arlequin, en lui disant, dans la scène 11 : « Vous me paraissez mal assortis. » Les spectateurs assistent à la lente et subtile évolution de Silvia et d'Arlequin : ils ont beau continuer de se croire ensemble, ils sont déjà séparés, comme le montre la scène 9 dans laquelle Arlequin quitte promptement Silvia pour aller « faire collation ».

Langage

▎ Exploitation de la double énonciation

Au théâtre, toute énonciation est double, puisqu'elle a pour destinataires un personnage présent sur la scène (énonciation interne) et une personne extérieure à la scène, le spectateur. Marivaux exploite avec brio cette double énonciation propre au discours théâtral : il en tire un humour tendrement subtil qui fait le charme singulier de ses comédies. Constamment, en effet, les personnages prononcent des paroles qu'ils croient anodines et qui révèlent au spectateur ce dont ils n'ont pas encore pris conscience. Ainsi, le spectateur ne s'en tient-il pas à la lettre de ce que dit Arlequin : « Pauvre fille ! il est fâcheux que j'aime Silvia ; sans cela je vous donnerais de bon cœur la ressemblance avec votre amant. » Le spectateur comprend que ces propos en disent plus qu'ils n'en ont l'air. Arlequin est en passe d'aimer Flaminia. Cette dernière partage avec le public une entière lucidité sur l'évolution sentimentale de Silvia et d'Arlequin.

La spirituelle Silvia

Marivaux, dans la scène 10, met face à face Lisette et Silvia, pour montrer que cette dernière, toute villageoise qu'elle est, possède un beau sens de la repartie spirituelle : son intelligence alerte, sa finesse font qu'elle est digne de l'amour d'un prince charmant ! L'auteur tire de subtils effets comiques du tempérament emporté de la belle Silvia, de même qu'il la dote d'une certaine verve qui ajoute à son charme.

Société

Continuation de la satire

Dans la scène 7, Arlequin est face à un Seigneur qui lui a fait l'affront de ne pas le saluer, ce qui a fâché le prince. Ainsi le prince est-il dissocié de ses courtisans, au lieu d'être toujours mêlé à eux. Ces derniers méprisent les humbles ; mais le prince veut au contraire qu'Arlequin soit respecté, honoré et bien traité. Parallèlement, à la scène 10, Silvia est confrontée à Lisette qui lui avoue sa jalousie : elle pensait pouvoir séduire le prince. Dans ces deux scènes, nous assistons à la revanche des villageois sur les courtisans qui les avaient humiliés. Les courtisans n'ont aucun respect pour ceux qui n'appartiennent pas à leur monde. Leurs préjugés de caste les aveuglent. Flaminia et le prince, toutefois, se distinguent de ceux qui les entourent. Ils sont capables d'aimer des êtres qui ne sont pas de leur rang ; ils ne sont pas prisonniers des préjugés de leur caste.

Mise en question de la morale

La satire sociale cède le pas, dans l'acte II, à une réflexion morale beaucoup plus profonde. Pendant que se ternit la pureté des deux villageois, Flaminia et le prince se montrent sous un meilleur jour. Le prince est un amoureux parfaitement transi et soumis. Il veut conquérir celle qu'il aime sans lui avouer son rang : il est d'une parfaite galanterie (il diffère d'instruire Silvia à la scène 12). Flaminia est constamment rassurante et amicale avec les deux jeunes gens. Elle aide Silvia à mieux lire dans son propre cœur, à prendre conscience du fait que son amour pour Arlequin n'était qu'un amour de jeunesse, et qu'avec l'officier son cœur est touché d'une tout autre façon, bien plus profondément. Ainsi vertu et corruption, bien et mal, machiavélisme et innocence se mêlent-ils dans cet acte.

ACTE III

Scène 1 LE PRINCE, FLAMINIA

FLAMINIA. Oui, Seigneur, vous avez fort bien fait de ne pas vous découvrir tantôt, malgré tout ce que Silvia vous a dit de tendre ; ce retardement ne gâte rien et lui laisse le temps de se confirmer dans le penchant qu'elle a pour vous. Grâces au ciel, vous voilà presque arrivé où vous le souhaitiez.

LE PRINCE. Ah ! Flaminia, qu'elle est aimable !

FLAMINIA. Elle l'est infiniment.

LE PRINCE. Je ne connais rien[1] comme elle, parmi les gens du monde. Quand une maîtresse, à force d'amour, nous dit clairement : « Je vous aime », cela fait assurément un grand plaisir. Eh bien, Flaminia, ce plaisir-là, imaginez-vous qu'il n'est que fadeur, qu'il n'est qu'ennui, en comparaison du plaisir que m'ont donné les discours de Silvia, qui ne m'a pourtant point dit : « Je vous aime. »

FLAMINIA. Mais, Seigneur, oserais-je vous prier de m'en répéter quelque chose ?

LE PRINCE. Cela est impossible ; je suis ravi, je suis enchanté ; je ne peux pas vous répéter cela autrement.

FLAMINIA. Je présume[2] beaucoup du rapport singulier que vous m'en faites.

LE PRINCE. Si vous saviez combien, dit-elle, elle est affligée de ne pouvoir m'aimer, parce que cela me rend malheureux et qu'elle doit être fidèle à Arlequin !… J'ai vu le moment où elle allait me dire : « Nne m'aimez plus, je vous prie, parce que vous seriez cause que je vous aimerais aussi. »

FLAMINIA. Bon ! cela vaut mieux qu'un aveu.

---

1. **Rien** : il peut renvoyer à un être humain. Ici, il signifie « personne ».
2. **Je présume** : je me représente, j'imagine, je devine.

LE PRINCE. Non, je le dis encore, il n'y a que l'amour de Silvia qui soit véritablement de l'amour. Les autres femmes qui aiment ont l'esprit cultivé ; elles ont une certaine éducation, un certain usage[1] ; et tout cela chez elles falsifie la nature[2]. Ici c'est le cœur tout pur qui me parle ; comme ses sentiments viennent, il me les montre ; sa naïveté en fait tout l'art, et sa pudeur toute la décence. Vous m'avouerez que tout cela est charmant. Tout ce qui la retient à présent, c'est qu'elle se fait un scrupule de m'aimer sans l'aveu[3] d'Arlequin. Ainsi, Flaminia, hâtez-vous. Sera-t-il bientôt gagné, Arlequin ? Vous savez que je ne dois ni ne veux le traiter avec violence. Que dit-il ?

FLAMINIA. À vous dire le vrai, Seigneur, je le crois tout à fait amoureux de moi ; mais il n'en sait rien. Comme il ne m'appelle encore que sa chère amie, il vit sur la bonne foi de ce nom qu'il me donne, et prend toujours de l'amour à bon compte.

LE PRINCE. Fort bien.

FLAMINIA. Oh ! dans la première conversation, je l'instruirai de l'état de ses petites affaires avec moi ; et ce penchant qui est *incognito* chez lui et que je lui ferai sentir par un autre stratagème, la douceur avec laquelle vous lui parlerez, comme nous en sommes convenus, tout cela, je pense, va nous tirer d'inquiétude, et terminer mes travaux, dont je sortirai, Seigneur, victorieuse et vaincue.

LE PRINCE. Comment donc ?

FLAMINIA. C'est une petite bagatelle qui ne mérite pas de vous être dite ; c'est que j'ai pris du goût pour Arlequin, seulement pour me désennuyer dans le cours de notre intrigue. Mais retirons-nous, et rejoignez Silvia ; il ne faut pas qu'Arlequin vous voie encore, et je le vois qui vient.
Ils se retirent tous deux.

---

1. **Usage :** l'ensemble des règles de la bienséance.
2. **Falsifie la nature :** fausse le naturel.
3. **L'aveu :** la permission.

Clefs d'analyse

Compréhension

Un prince amoureux

- Commenter l'argument qu'utilise Flaminia pour justifier le « retardement » du dévoilement de l'identité du prince.
- Relever les expressions trahissant l'amour du prince.
- Dire si la passion de Flaminia et celle du prince s'équivalent.

La suprématie du naturel

- Dire en quoi Silvia diffère des femmes que connaît le prince.
- Chercher ce qui pourrait justifier que le prince éprouve une telle fascination pour la « naïveté » de Silvia.

Réflexion

Deux roués, fascinés par des ingénus ?

- Expliquer en quoi Flaminia et le prince partagent une identique clairvoyance.
- Justifier le décalage entre l'enthousiasme du prince et la pondération de Flaminia.
- Commenter les expressions « petite bagatelle » (ligne 49), et « pour me désennuyer » (ligne 51), puis les interpréter.

Le naturel, comme programme esthétique

- Expliquer en quoi ce que le prince dit des femmes (ligne 29) pourrait s'appliquer aux œuvres littéraires.
- Déduire de ce que le prince dit des femmes trop cultivées le programme esthétique que se fixe Marivaux dans son théâtre.

> **À retenir**
>
> Marivaux a pu dire à de multiples reprises son amour du naturel et son mépris des artifices, dans la vie comme dans l'art. On lui a toutefois reproché une excessive subtilité. Ainsi Voltaire l'accusait-il de « peser des œufs de mouche dans des balances de toile d'araignée. »

Scène 2 TRIVELIN, ARLEQUIN *entre d'un air un peu sombre.*

TRIVELIN, *après quelque temps.* Eh bien ! que voulez-vous que je fasse de l'écritoire et du papier que vous m'avez fait prendre ?

ARLEQUIN. Donnez-vous patience[1], mon domestique.

TRIVELIN. Tant qu'il vous plaira.

ARLEQUIN. Dites-moi, qui est-ce qui me nourrit ici ?

TRIVELIN. C'est le prince.

ARLEQUIN. Par la sambille ! la bonne chère que je fais me donne des scrupules.

TRIVELIN. D'où vient donc ?[2]

ARLEQUIN. Mardi ! j'ai peur d'être en pension sans le savoir.

TRIVELIN, *riant.* Ah ! ah ! ah ! ah !

ARLEQUIN. De quoi riez-vous, grand benêt ?

TRIVELIN. Je ris de votre idée, qui est plaisante ; allez, allez, Seigneur Arlequin, mangez en toute sûreté de conscience et buvez de même.

ARLEQUIN. Dame ! je prends mes repas dans la bonne foi[3] ; il me serait bien rude de me voir un jour apporter le mémoire de ma dépense[4] ; mais je vous crois. Dites-moi, à présent, comment s'appelle celui qui rend compte au prince de ses affaires ?

TRIVELIN. Son secrétaire d'État, voulez-vous dire ?

ARLEQUIN. Oui ; j'ai dessein de lui faire un écrit pour le prier d'avertir le prince que je m'ennuie, et lui demander quand il veut en finir avec nous ; car mon père est tout seul.

TRIVELIN. Eh bien ?

---

1. **Donnez-vous patience :** ne vous précipitez pas.
2. **D'où vient donc ? :** pourquoi cela ?
3. **Dans la bonne foi :** en toute confiance.
4. **Le mémoire de ma dépense :** l'addition.

25 **ARLEQUIN.** Si on veut me garder, il faut lui envoyer une carriole afin qu'il vienne.

TRIVELIN. Vous n'avez qu'à parler, la carriole partira sur-le-champ.

ARLEQUIN. Il faut, après cela, qu'on nous marie, Silvia et moi, et qu'on m'ouvre la porte de la maison ; car j'ai coutume de trotter 30 partout et d'avoir la clef des champs[1], moi. Ensuite nous tiendrons ici ménage[2] avec l'amie Flaminia, qui ne veut pas nous quitter à cause de son affection pour nous ; et si le prince a toujours bonne envie de nous régaler, ce que je mangerai me profitera davantage.

TRIVELIN. Mais, Seigneur Arlequin, il n'est pas besoin de mêler 35 Flaminia là-dedans.

ARLEQUIN. Cela me plaît, à moi.

TRIVELIN, *d'un air mécontent.* Hum !

ARLEQUIN, *le contrefaisant.* Hum ! le mauvais valet ! Allons vite, tirez votre plume, et griffonnez-moi mon écriture.

40 **TRIVELIN,** *se mettant en état*[3]. Dictez.

ARLEQUIN. « *Monsieur.* »

TRIVELIN. Halte-là ! dites : « Monseigneur. »

ARLEQUIN. Mettez les deux, afin qu'il choisisse.

TRIVELIN. Fort bien.

45 **ARLEQUIN.** « *Vous saurez que je m'appelle Arlequin.* »

TRIVELIN. Doucement ! vous devez dire : « Votre Grandeur saura. »

ARLEQUIN. « Votre Grandeur saura ! » C'est donc un géant, ce secrétaire d'État ?

TRIVELIN. Non ; mais n'importe[4].

50 **ARLEQUIN.** Quel diantre de galimatias[5] ! Qui a jamais entendu dire qu'on s'adresse à la taille d'un homme quand on a affaire à lui ?

---

1. **Avoir la clef des champs :** être libre d'aller où l'on veut.
2. **Nous tiendrons ici ménage :** nous installerons ici notre ménage.
3. *Se mettant en état :* se préparant (à écrire).
4. **N'importe :** qu'importe.
5. **Galimatias :** charabia, discours incompréhensible.

TRIVELIN, *écrivant*. Je mettrai comme il vous plaira. « Vous saurez que je m'appelle Arlequin. » Après ?

ARLEQUIN. « *Que j'ai une maîtresse qui s'appelle Silvia, bourgeoise de mon village, et fille d'honneur.* »

TRIVELIN, *écrivant*. Courage !

ARLEQUIN. « *... avec une bonne amie que j'ai faite[1] depuis peu, qui ne saurait se passer de nous, ni nous d'elle ; ainsi, aussitôt la présente reçue...* »

TRIVELIN, *s'arrêtant comme affligé.* Flaminia ne saurait se passer de vous ? Aïei ! la plume me tombe des mains.

ARLEQUIN. Oh ! oh ! que signifie cette impertinente pâmoison[2]-là ?

TRIVELIN. Il y a deux ans, Seigneur Arlequin, il y a deux ans que je soupire en secret pour elle.

ARLEQUIN, *tirant sa latte.* Cela est fâcheux, mon mignon ; mais, en attendant qu'elle en soit informée, je vais toujours vous en faire quelques remerciements pour elle.

TRIVELIN. Des remerciements à coups de bâton ! je ne suis pas friand de ces compliments-là. Eh ! que vous importe que je l'aime ? Vous n'avez que de l'amitié pour elle, et l'amitié ne rend point jaloux.

ARLEQUIN. Vous vous trompez, mon amitié fait tout comme l'amour ; en voilà des preuves.

Il le bat.

TRIVELIN, *s'enfuit en disant.* Oh ! diable soit de l'amitié !

---

1. **Une bonne amie que j'ai faite :** une personne que j'ai faite mon amie.
2. **Pâmoison :** évanouissement ; désigne ici par exagération une défaillance due à un trouble subit.

Scène 3 FLAMINIA, ARLEQUIN

FLAMINIA, *à Arlequin.* Qu'est-ce que c'est ? Qu'avez-vous, Arlequin ?

ARLEQUIN. Bonjour, m'amie ; c'est ce faquin[1] qui dit qu'il vous aime depuis deux ans.

FLAMINIA. Cela se peut bien.

5 **ARLEQUIN.** Et vous, m'amie, que dites-vous de cela ?

FLAMINIA. Que c'est tant pis pour lui.

ARLEQUIN. Tout de bon ?[2]

FLAMINIA. Sans doute ; mais est-ce que vous seriez fâché que l'on m'aimât ?

10 **ARLEQUIN.** Hélas ! vous êtes votre maîtresse[3] ; mais si vous aviez un amant, vous l'aimeriez peut-être ; cela gâterait la bonne amitié que vous me portez, et vous m'en feriez ma part plus petite. Oh ! de cette part-là, je n'en voudrais rien perdre.

FLAMINIA, *d'un air doux.* Arlequin, savez-vous bien que vous ne 15 ménagez pas mon cœur ?

ARLEQUIN. Moi ! et quel mal lui fais-je donc ?

FLAMINIA. Si vous continuez de me parler toujours de même, je ne saurai plus bientôt de quelle espèce seront mes sentiments pour vous. En vérité je n'ose m'examiner là-dessus : j'ai peur de trouver 20 plus que je ne veux.

ARLEQUIN. C'est bien fait, n'examinez jamais, Flaminia ; cela sera ce que cela pourra ; au reste, croyez-moi, ne prenez point d'amant ; j'ai une maîtresse, je la garde ; si je n'en avais point, je n'en chercherais pas ; qu'en ferais-je avec vous ? Elle m'ennuierait.

25 **FLAMINIA.** Elle vous ennuierait ! Le moyen, après tout ce que vous dites, de rester votre amie ?

---

1. **Faquin :** vaurien.
2. **Tout de bon ? :** vraiment ?
3. **Vous êtes votre maîtresse :** c'est vous qui décidez.

ARLEQUIN. Eh ! que serez-vous donc ?

FLAMINIA. Ne me le demandez pas, je n'en veux rien savoir ; ce qui est de sûr, c'est que dans le monde, je n'aime plus que vous. Vous n'en pouvez pas dire autant ; Silvia va devant moi, comme de raison[1].

ARLEQUIN. Chut ! vous allez de compagnie ensemble[2].

FLAMINIA. Je vais vous l'envoyer, si je la trouve, Silvia ; en serez-vous bien aise ?

ARLEQUIN. Comme vous voudrez ; mais il ne faut pas l'envoyer ; il faut venir toutes deux.

FLAMINIA. Je ne pourrai pas ; car le prince m'a mandée[3], et je vais voir ce qu'il me veut. Adieu, Arlequin ; je serai bientôt de retour. *En sortant, elle sourit à celui qui entre.*

---

1. **Comme de raison :** comme il est juste.
2. **Vous allez de compagnie ensemble :** vous êtes au même plan d'égalité.
3. **Mandée :** demandée.

Clefs d'analyse

Compréhension

La dictée comique

- Dire sur quoi repose le comique de la scène 2.
- Relever quelques malentendus amusants dans la scène 2.
- Expliquer la « pâmoison » de Trivelin dans la scène 2.

Le stratagème du rival

- Expliquer qui a fomenté le stratagème du rival, et à quelles fins.
- Commenter la didascalie *« d'un air doux »* (scène 3, ligne 14).
- Relever les déclarations amoureuses de Flaminia en étant attentif à leur forme.

Réflexion

La scène 2, une scène « postiche » ?

- Trouver la raison pour laquelle la scène 2 a été qualifiée de « postiche » par *Le Nouveau Mercure*.
- Justifier malgré tout cette scène par le nouveau rôle qu'elle donne à Trivelin.

Le triomphe de Flaminia, dans la scène 3

- Dire par quelles formules s'exprime l'amour d'Arlequin
- Expliquer pourquoi il ne peut encore mettre son amour pour Flaminia au-dessus de son amour pour Silvia.
- Commenter l'effet comique produit par cette mise à égalité des deux femmes, pour lui devenues inséparables.

À retenir

Nous savons, dès le titre, où Marivaux a choisi de nous mener. Le plaisir ne tient pas à la surprise du dénouement, mais à la subtilité avec laquelle nous allons peu à peu y parvenir. Le troisième acte, loin d'être inutile, est destiné à prolonger le plaisir des spectateurs, à retarder le moment où les amoureux sauront enfin lire dans leur cœur.

Clefs d'analyse

Scène 4 ARLEQUIN, LE SEIGNEUR
du deuxième acte apporte
à ARLEQUIN ses lettres de noblesse[1].

ARLEQUIN, *le voyant.* Voilà mon homme de tantôt. Ma foi !
Monsieur le médisant (car je ne sais point votre autre nom), je n'ai
rien dit de vous au prince, par la raison que je ne l'ai point vu.

LE SEIGNEUR. Je vous suis obligé de votre bonne volonté,
Seigneur Arlequin ; mais je suis sorti d'embarras et rentré dans les
bonnes grâces du prince, sur l'assurance que je lui ai donnée que
vous lui parleriez pour moi ; j'espère qu'à votre tour vous me tien-
drez parole.

ARLEQUIN. Oh ! quoique je paraisse un innocent, je suis homme
d'honneur.

LE SEIGNEUR. De grâce, ne vous ressouvenez plus de rien et
réconciliez-vous avec moi en faveur du[2] présent que je vous
apporte de la part du prince ; c'est de tous les présents le plus
grand qu'on puisse vous faire.

ARLEQUIN. Est-ce Silvia que vous m'apportez ?

LE SEIGNEUR. Non, le présent dont il s'agit est dans ma poche ;
ce sont des lettres de noblesse dont le prince vous gratifie comme
parent de Silvia ; car on dit que vous l'êtes un peu.

ARLEQUIN. Pas un brin ; remportez cela ; car, si je le prenais, ce
serait friponner la gratification[3].

LE SEIGNEUR. Acceptez toujours ; qu'importe ? Vous ferez plaisir
au prince. Refuseriez-vous ce qui fait l'ambition de tous les gens
de cœur ?

---

1. **Lettres de noblesse :** lettres par lesquelles est conféré un titre de noblesse.
2. **En faveur du :** en échange du.
3. **Friponner la gratification :** usurper la récompense.

ARLEQUIN. J'ai pourtant bon cœur aussi. Pour de[1] l'ambition, j'en
ai bien entendu parler ; mais je ne l'ai jamais vue, et j'en ai peut-
être sans le savoir.

LE SEIGNEUR. Si vous n'en avez pas, cela vous en donnera.

ARLEQUIN. Qu'est-ce que c'est donc ?

LE SEIGNEUR, *à part les premiers mots.* En voilà bien d'une autre ![2]
L'ambition, c'est un noble orgueil de s'élever.

ARLEQUIN. Un orgueil qui est noble ! Donnez-vous comme cela
de jolis noms à toutes les sottises, vous autres ?

LE SEIGNEUR. Vous ne me comprenez pas ; cet orgueil ne signifie
là qu'un désir de gloire.

ARLEQUIN. Par ma foi ! sa signification ne vaut pas mieux que lui,
c'est bonnet blanc et blanc bonnet[3].

LE SEIGNEUR. Prenez, vous dis-je : ne serez-vous pas bien aise
d'être gentilhomme ?

ARLEQUIN. Eh ! je n'en serais ni bien aise, ni fâché ; c'est suivant
la fantaisie[4] qu'on a.

LE SEIGNEUR. Vous y trouverez de l'avantage ; vous en serez plus
respecté et plus craint de vos voisins.

ARLEQUIN. J'ai opinion que cela les empêcherait de m'aimer de
bon cœur ; car quand je respecte les gens, moi, et que je les crains,
je ne les aime pas de si bon courage[5] ; je ne saurais faire tant de
choses à la fois.

LE SEIGNEUR. Vous m'étonnez.

ARLEQUIN. Voilà comme je suis bâti[6] ; d'ailleurs, voyez-vous, je
suis le meilleur enfant du monde, je ne fais de mal à personne ;
mais quand je voudrais nuire[7], je n'en ai pas le pouvoir. Eh bien !

---

1. **Pour de :** pour ce qui est de, quant à.
2. **En voilà bien d'une autre ! :** voilà autre chose !
3. **C'est bonnet blanc et blanc bonnet :** c'est pareil.
4. **Fantaisie :** disposition, humeur.
5. **Courage :** cœur.
6. **Voilà comme je suis bâti :** voilà comme je suis.
7. **Quand je voudrais nuire :** si je voulais nuire.

si j'avais ce pouvoir, si j'étais noble, diable emporte si je voudrais gager d'être toujours brave homme : je ferais parfois comme le gentilhomme de chez nous, qui n'épargne pas les coups de bâtons, à cause qu'[1]on n'oserait les lui rendre.

LE SEIGNEUR. Et si on vous donnait ces coups de bâtons, ne souhaiteriez-vous pas être en état de les rendre ?

ARLEQUIN. Pour cela, je voudrais payer cette dette-là sur-le-champ.

LE SEIGNEUR. Oh ! comme les hommes sont quelquefois méchants, mettez-vous en état de faire du mal, seulement afin qu'on n'ose pas vous en faire, et pour cet effet prenez vos lettres de noblesse.

ARLEQUIN *prend les lettres.* Têtubleu ![2] vous avez raison, je ne suis qu'une bête. Allons, me voilà noble ; je garde le parchemin ; je ne crains plus que les rats, qui pourraient bien gruger[3] ma noblesse ; mais j'y mettrai bon ordre. Je vous remercie, et le prince aussi ; car il est bien obligeant dans le fond.

LE SEIGNEUR. Je suis charmé de vous voir content ; adieu.

ARLEQUIN. Je suis votre serviteur. *(Quand le Seigneur a fait dix ou douze pas, Arlequin le rappelle.)* Monsieur, monsieur !

LE SEIGNEUR. Que me voulez-vous ?

ARLEQUIN. Ma noblesse m'oblige-t-elle à rien[4] ? car il faut faire son devoir dans une charge.

LE SEIGNEUR. Elle oblige à être honnête homme.

ARLEQUIN, *très sérieusement.* Vous aviez donc des exemptions[5], vous, quand vous avez dit du mal de moi ?

LE SEIGNEUR. N'y songez plus, un gentilhomme doit être généreux.

ARLEQUIN. Généreux et honnête homme ! Vertuchoux ![6] Ces devoirs-là sont bons ; je les trouve encore plus nobles que mes

---

1. **À cause qu'** : parce qu', au motif qu'.
2. **Têtubleu !** : altération du juron « tête de Dieu ! ».
3. **Gruger** : au sens propre de « ronger », « manger » ; « gruger » signifie réduire en grains, croquer, avaler.
4. **Rien** : au sens positif de « quelque chose ».
5. **Exemptions** : dispenses.
6. **Vertuchoux !** : altération burlesque du juron « vertu de Dieu ! ».

lettres de noblesse. Et quand on ne s'en acquitte pas, est-on encore gentilhomme ?

80 **LE SEIGNEUR.** Nullement.

ARLEQUIN. Diantre ! il y a donc bien des nobles qui payent la taille[1] ?

LE SEIGNEUR. Je n'en sais point le nombre.

ARLEQUIN. Est-ce là tout ? N'y a-t-il plus d'autre devoir ?

85 **LE SEIGNEUR.** Non ; cependant vous qui, suivant toute apparence, serez favori du prince, vous aurez un devoir de plus : ce sera de mériter cette faveur par toute la soumission, tout le respect et toute la complaisance possibles. À l'égard du reste, comme je vous ai dit, ayez de la vertu, aimez l'honneur plus que la vie, et vous 90 serez dans l'ordre.

ARLEQUIN. Tout doucement ; ces dernières obligations-là ne me plaisent pas tant que les autres. Premièrement, il est bon d'expliquer ce que c'est que cet honneur qu'on doit aimer plus que la vie. Malepeste ![2] quel honneur ?

95 **LE SEIGNEUR.** Vous approuverez ce que cela veut dire ; c'est qu'il faut se venger d'une injure, ou périr plutôt que de la souffrir.

ARLEQUIN. Tout ce que vous m'avez dit n'est donc qu'un coq-à-l'âne[3] ; car, si je suis obligé d'être généreux, il faut que je pardonne aux gens ; si je suis obligé d'être méchant, il faut que je les 100 assomme. Comment donc faire pour tuer le monde et le laisser vivre ?

LE SEIGNEUR. Vous serez généreux et bon, quand on ne vous insultera pas.

ARLEQUIN. Je vous entends, il m'est défendu d'être meilleur 105 que les autres ; et si je rends le bien pour le mal, je serai donc un homme sans honneur ? Par la mardi ! la méchanceté n'est pas rare ; ce n'était pas la peine de la recommander tant. Voilà une vilaine invention ! Tenez, accommodons-nous plutôt ; quand on me dira

---

1. **La taille :** impôt royal que les nobles ne payaient pas.
2. **Malepeste !** : juron qui renchérit sur « peste ! ».
3. **Coq-à-l'âne :** discours sans queue ni tête, incohérent.

une grosse injure, j'en répondrai une autre si je suis le plus fort.
Voulez-vous me laisser votre marchandise à ce prix-là ? Dites-moi
votre dernier mot.

LE SEIGNEUR. Une injure répondue à une injure ne suffit point.
Cela ne peut se laver, s'effacer que par le sang de votre ennemi ou
le vôtre.

ARLEQUIN. Que la tache y reste ! Vous parlez du sang comme
si c'était de l'eau de la rivière. Je vous rends votre paquet de
noblesse ; mon honneur n'est pas fait pour être noble ; il est trop
raisonnable pour cela. Bonjour.

LE SEIGNEUR. Vous n'y songez pas.

ARLEQUIN. Sans compliment[1], reprenez votre affaire.

LE SEIGNEUR. Gardez-le toujours ; vous vous ajusterez[2] avec le
prince ; on n'y regardera pas de si près avec vous.

ARLEQUIN, *les reprenant.* Il faudra donc qu'il me signe un contrat
comme quoi je serai exempt[3] de me faire tuer par mon prochain,
pour le faire repentir de son impertinence avec moi.

LE SEIGNEUR. À la bonne heure ; vous ferez vos conventions[4].
Adieu, je suis votre serviteur.

ARLEQUIN. Et moi le vôtre.

---

1. **Sans compliment :** sans façons.
2. **Vous vous ajusterez :** vous vous mettrez d'accord.
3. **Exempt :** dispensé.
4. **Conventions :** accords.

Scène 5 Le prince *arrive,* Arlequin

ARLEQUIN, *le voyant.* Qui diantre vient encore me rendre visite ? Ah ! c'est celui-là qui est cause qu'on m'a pris Silvia. – Vous voilà donc, Monsieur le babillard, qui allez dire partout que la maîtresse des gens est belle ; ce qui fait qu'on m'a escamoté[1] la mienne !

5 **LE PRINCE.** Point d'injures, Arlequin.

ARLEQUIN. Êtes-vous gentilhomme, vous ?

LE PRINCE. Assurément.

ARLEQUIN. Mardi ! vous êtes bien heureux ; sans cela je vous dirais de bon cœur ce que vous méritez ; mais votre honneur vou-10 drait peut-être faire son devoir, et, après cela, il faudrait vous tuer pour vous venger de moi.

LE PRINCE. Calmez-vous, je vous prie, Arlequin, le prince m'a donné ordre de vous entretenir.

ARLEQUIN. Parlez, il vous est libre[2] ; mais je n'ai pas ordre de vous 15 écouter, moi.

LE PRINCE. Eh bien, prends un esprit plus doux, connais-moi, puisqu'il le faut : c'est ton prince lui-même qui te parle, et non pas un officier du palais, comme tu l'as cru jusqu'ici aussi bien que Silvia.

20 **ARLEQUIN.** Votre foi ?[3]

LE PRINCE. Tu dois m'en croire.

ARLEQUIN. Excusez, Monseigneur, c'est donc moi qui suis un sot d'avoir été un impertinent avec vous.

LE PRINCE. Je te pardonne volontiers.

25 **ARLEQUIN,** *tristement.* Puisque vous n'avez pas de rancune contre moi, ne permettez pas que j'en aie contre vous. Je ne suis pas digne

---

1. **Escamoté :** enlevé, dérobé.
2. **Il vous est libre :** c'est votre droit.
3. **Votre foi ? :** puis-je vous faire confiance ?

d'être fâché contre un prince, je suis trop petit pour cela. Si vous m'affligez, je pleurerai de toute ma force, et puis c'est tout ; cela doit faire compassion à[1] votre puissance ; vous ne voudriez pas
30 avoir une principauté pour le contentement de vous tout seul ?

LE PRINCE. Tu te plains donc bien de moi, Arlequin ?

ARLEQUIN. Que voulez-vous, Monseigneur ? j'ai une fille qui m'aime ; vous, vous en avez plein votre maison, et nonobstant[2], vous m'ôtez la mienne. Prenez que[3] je suis pauvre, et que tout
35 mon bien est un liard[4] ; vous qui êtes riche de plus de mille écus, vous vous jetez sur ma pauvreté et vous m'arrachez mon liard ; cela n'est-il pas bien triste ?

LE PRINCE, *à part.* Il a raison, et ses plaintes me touchent.

ARLEQUIN. Je sais bien que vous êtes un bon prince, tout le
40 monde le dit dans le pays ; il n'y aura que moi qui n'aurai pas le plaisir de dire comme les autres.

LE PRINCE. Je te prive de Silvia, il est vrai ; mais demande-moi ce que tu voudras ; je t'offre tous les biens que tu pourras souhaiter, et laisse-moi cette seule personne que j'aime.

45 **ARLEQUIN.** Ne parlons point de ce marché-là, vous gagneriez trop sur moi. Disons en conscience : si un autre que vous me l'avait prise, est-ce que vous ne me la feriez pas remettre ? Eh bien ! personne ne me l'a prise que vous ; voyez la belle occasion de montrer que la justice est pour tout le monde.

50 **LE PRINCE,** *à part.* Que lui répondre ?

ARLEQUIN. Allons, Monseigneur, dites-vous comme cela : « Faut-il que je retienne le bonheur de ce petit homme parce que j'ai le pouvoir de le garder ? N'est-ce pas à moi à être son protecteur, puisque je suis son maître ? S'en ira-t-il sans avoir justice ? N'en aurais-je
55 pas du regret ? Qu'est-ce qui fera mon office[5] de prince si je ne le fais pas ! J'ordonne donc que je lui rendrai Silvia. »

---

1. **Faire compassion à :** émouvoir.
2. **Nonobstant :** cependant, toutefois.
3. **Prenez que :** considérez que.
4. **Un liard :** une pièce de monnaie sans valeur.
5. **Fera mon office :** remplira mon office, fera mon devoir.

LE PRINCE. Ne changeras-tu jamais de langage ? Regarde comme j'en agis avec toi. Je pourrais te renvoyer et garder Silvia sans t'écouter ; cependant, malgré l'inclination que j'ai pour elle, malgré
60 ton obstination et le peu de respect que tu me montres, je m'intéresse à ta douleur ; je cherche à la calmer par mes faveurs ; je descends jusqu'à te prier de me céder Silvia de bonne volonté ; tout le monde t'y exhorte, tout le monde te blâme et te donne un exemple de l'ardeur qu'on a de me plaire ; tu es le seul qui résiste. Tu dis
65 que je suis ton prince : marque-le-moi donc par un peu de docilité.

ARLEQUIN, *toujours triste.* Eh ! Monseigneur, ne vous fiez pas à ces gens qui vous disent que vous avez raison avec moi, car ils vous trompent. Vous prenez cela pour argent comptant ; et puis vous avez beau être bon, vous avez beau être brave homme, c'est
70 autant de perdu, cela ne vous fait point de profit. Sans ces gens-là, vous ne me chercheriez point chicane[1], vous ne diriez pas que je vous manque de respect parce que je vous représente mon bon droit. Allez, vous êtes mon prince, et je vous aime bien ; mais je suis votre sujet, et cela mérite quelque chose.

75 **LE PRINCE.** Va, tu me désespères.

ARLEQUIN. Que je suis à plaindre !

LE PRINCE. Faudra-t-il donc que je renonce à Silvia ? Le moyen[2] d'en être jamais aimé, si tu ne veux pas m'aider ? Arlequin, je t'ai causé du chagrin ; mais celui que tu me fais est plus cruel que le
80 tien.

ARLEQUIN. Prenez quelque consolation, Monseigneur, promenez-vous, voyagez quelque part ; votre douleur se passera dans les chemins.

LE PRINCE. Non, mon enfant : j'espérais quelque chose de ton
85 cœur pour moi, je t'aurais plus d'obligation[3] que je n'en aurai jamais à personne ; mais tu me fais tout le mal qu'on peut me faire. Va, n'importe, mes bienfaits t'étaient réservés, et ta dureté n'empêche pas que tu n'en jouisses.

---

1. **Chicane :** querelle.
2. **Le moyen :** quel est le moyen ?
3. **Obligation :** reconnaissance.

ARLEQUIN. Aïe ! qu'on a de mal dans la vie !

90 **LE PRINCE.** Il est vrai que j'ai tort à ton égard ; je me reproche l'action que j'ai faite, c'est une injustice ; mais tu n'en es que trop vengé.

ARLEQUIN. Il faut que je m'en aille ; vous êtes trop fâché d'avoir tort ; j'aurais peur de vous donner raison.

95 **LE PRINCE.** Non, il est juste que tu sois content ; tu souhaites que je te rende justice ; sois heureux aux dépens de tout mon repos.

ARLEQUIN. Vous avez tant de charité pour moi ; n'en aurais-je donc pas pour vous ?

LE PRINCE, *triste.* Ne t'embarrasse pas de moi.

100 **ARLEQUIN.** Que j'ai de souci ! le voilà désolé.

LE PRINCE, *en caressant*[1] *Arlequin.* Je te sais bon gré[2] de la sensibilité où je te vois. Adieu, Arlequin ; je t'estime malgré tes refus.

ARLEQUIN, *laisse faire un pas ou deux au Prince.* Monseigneur !

LE PRINCE. Que me veux-tu ? me demandes-tu quelque grâce ?

105 **ARLEQUIN.** Non, je ne suis qu'en peine de savoir si je vous accorderai celle que vous voulez.

LE PRINCE. Il faut avouer que tu as le cœur excellent !

ARLEQUIN. Et vous aussi ; voilà ce qui m'ôte le courage. Hélas ! que les bonnes gens sont faibles !

110 **LE PRINCE.** J'admire tes sentiments.

ARLEQUIN. Je le crois bien ; je ne vous promets pourtant rien ; il y a trop d'embarras dans ma volonté ; mais, à tout hasard, si je vous donnais Silvia, avez-vous dessein que je sois votre favori ?

LE PRINCE. Eh ! qui le serait donc ?

115 **ARLEQUIN.** C'est qu'on m'a dit que vous aviez coutume d'être flatté ; moi, j'ai coutume de dire vrai, et une bonne coutume comme celle-là ne s'accorde pas avec une mauvaise ; jamais votre amitié ne sera assez forte pour endurer la mienne.

---

1. **Caressant :** donnant des marques d'affection.
2. **Je te sais bon gré :** je te suis reconnaissant.

LE PRINCE. Nous nous brouillerons ensemble si tu ne me réponds
120 toujours ce que tu penses. Il ne me reste qu'une chose à te dire,
Arlequin : souviens-toi que je t'aime : c'est tout ce que je te
recommande.

ARLEQUIN. Flaminia sera-t-elle sa maîtresse ?

LE PRINCE. Ah ! ne me parle point de Flaminia ; tu n'étais pas
125 capable de me donner tant de chagrin sans elle.
Il s'en va.

ARLEQUIN. Point du tout ; c'est la meilleure fille du monde ; vous
ne devez point lui vouloir de mal.

Clefs d'analyse

Compréhension

Un prince face à son sujet

- Dire comment réagit Arlequin à la révélation de l'identité du prince.
- Relever les expressions par lesquelles il confirme son humilité face au prince.
- Commenter les didascalies « *tristement* », à la ligne 25, « *toujours triste* », à la ligne 66, et enfin « *triste* », à la ligne 99.

Le bon et le mauvais droit

- Commenter les apartés du prince : que révèlent-ils ?
- Dire à quoi servent les interrogations dans l'argumentation que développe Arlequin de la ligne 51 à la ligne 56.
- Expliquer « Va, tu me désespères » (ligne 75).

Réflexion

Une scène pathétique

- Expliquer pourquoi les deux hommes sont pareillement malheureux.
- Dire ce qu'ont en commun ces deux personnages, malgré le contraste des conditions.

Une réflexion sur le pouvoir, ses abus et ses limites

- Expliquer pourquoi le prince ne peut user de son pouvoir face à Arlequin.
- Montrer l'habileté de l'argumentation d'Arlequin de la ligne 66 à la ligne 74.
- Dire en quoi le rappel à l'ordre d'Arlequin peut s'appliquer à tout grand Seigneur, et même au roi.

> **À retenir**
>
> *Marivaux oppose le bon droit d'un homme sans pouvoir à l'injustice que lui fait subir un homme tout-puissant. Son but est que la charité soit le contrepoint naturel du pouvoir.*

Clefs d'analyse

117

Scène 6

ARLEQUIN, *seul.* Apparemment que mon coquin de valet aura médit de ma bonne amie. Par la mardi ! il faut que j'aille voir où elle est. Mais moi, que ferai-je à cette heure ? Est-ce que je quitterai Silvia ? Cela se pourra-t-il ? Y aura-t-il moyen ? Ma foi, non, non assurément. J'ai un peu fait le nigaud avec le prince, parce que je suis tendre à la peine d'autrui ; mais le Prince est tendre aussi, et il ne dira mot.

Scène 7 FLAMINIA, *arrive d'un air triste,* ARLEQUIN.

ARLEQUIN. Bonjour, Flaminia, j'allais vous chercher.

FLAMINIA, *en soupirant.* Adieu, Arlequin.

ARLEQUIN. Qu'est-ce que cela veut dire : adieu ?

FLAMINIA. Trivelin nous a trahis ; le prince a su l'intelligence[1] qui est entre nous ; il vient de m'ordonner de sortir d'ici et m'a défendu de vous voir jamais[2]. Malgré cela, je n'ai pu m'empêcher de venir vous parler encore une fois ; ensuite j'irai où je pourrai pour éviter sa colère.

ARLEQUIN, *étonné et déconcerté.* Ah ! me voilà un joli garçon[3] à présent !

---

1. **L'intelligence :** l'entente, la complicité.
2. **De vous voir jamais :** de ne plus jamais vous voir.
3. **Me voilà un joli garçon :** me voilà dans de beaux draps.

FLAMINIA. Je suis au désespoir, moi ! Me voir séparée pour jamais d'avec vous, de tout ce que j'avais de plus cher au monde ! Le temps me presse, je suis forcée de vous quitter ; mais avant de partir, il faut que je vous ouvre mon cœur.

15 **ARLEQUIN,** *en reprenant son haleine.* Aïe ! Qu'est-ce, m'amie ?

FLAMINIA. Ce n'est point de l'amitié que j'avais pour vous, Arlequin ; je m'étais trompée.

ARLEQUIN, *d'un ton essoufflé.* C'est donc de l'amour ?

FLAMINIA. Et du plus tendre. Adieu.

20 **ARLEQUIN,** *la retenant.* Attendez… Je me suis peut-être trompé, moi aussi, sur mon compte.

FLAMINIA. Comment, vous vous seriez mépris ! Vous m'aimeriez, et nous ne nous verrons plus ! Arlequin, ne m'en dites pas davantage ; je m'enfuis.

25 *Elle fait un ou deux pas.*

ARLEQUIN. Restez.

FLAMINIA. Laissez-moi aller ; que ferons-nous ?

ARLEQUIN. Parlons raison[1].

FLAMINIA. Que vous dirai-je ?

30 **ARLEQUIN.** C'est que mon amitié est aussi loin que la vôtre ; elle est partie : voilà que je vous aime, cela est décidé, et je n'y comprends rien. Ouf !

FLAMINIA. Quelle aventure !

ARLEQUIN. Je ne suis point marié, par bonheur.

35 **FLAMINIA.** Il est vrai.

ARLEQUIN. Silvia se mariera avec le prince et il sera content.

FLAMINIA. Je n'en doute point.

---

1. **Parlons raison** : parlons raisonnablement.

ARLEQUIN. Ensuite, puisque notre cœur s'est mécompté[1] et que nous nous aimons par mégarde[2], nous prendrons patience et nous nous accommoderons à l'avenant[3].

FLAMINIA, *d'un ton doux.* J'entends bien ; vous voulez dire que nous nous marierons ensemble ?

ARLEQUIN. Vraiment oui ; est-ce ma faute, à moi ? Pourquoi ne m'avertissiez-vous pas que vous m'attraperiez et que vous seriez ma maîtresse ?

FLAMINIA. M'avez-vous avertie que vous deviendriez mon amant ?

ARLEQUIN. Morbleu ![4] le devinais-je ?

FLAMINIA. Vous étiez assez aimable pour le deviner.

ARLEQUIN. Ne nous reprochons rien ; s'il ne tient qu'à être aimable, vous avez plus de tort que moi.

FLAMINIA. Épousez-moi, j'y consens ; mais il n'y a point de temps à perdre, et je crains qu'on ne vienne m'ordonner de sortir.

ARLEQUIN, *en soupirant.* Ah ! je pars pour parler au prince. Ne dites pas à Silvia que je vous aime ; elle croirait que je suis dans mon tort, et vous savez que je suis innocent. Je ne ferai semblant de rien avec elle ; je lui dirai que c'est pour sa fortune[5] que je la laisse là.

FLAMINIA. Fort bien ; j'allais vous le conseiller.

ARLEQUIN. Attendez, et donnez-moi votre main que je la baise… Qui est-ce qui aurait cru que j'y prendrais tant de plaisir ? Cela me confond[6].

---

1. **Mécompté :** fourvoyé, trompé.
2. **Par mégarde :** involontairement.
3. **À l'avenant :** selon les circonstances.
4. **Morbleu ! :** « Par la mort de Dieu ! »
5. **Fortune :** bonheur.
6. **Cela me confond :** cela me met dans un grand état de confusion, cela m'étonne au plus haut point.

Scène 8 FLAMINIA, SILVIA

FLAMINIA. En vérité, le prince a raison ; ces petites personnes-là font l'amour d'une manière à ne pouvoir y résister. Voici l'autre. *(À Silvia qui entre.)* À quoi rêvez-vous, belle Silvia ?

SILVIA. Je rêve à moi, et je n'y entends rien.

5 **FLAMINIA.** Que trouvez-vous donc en vous de si incompréhensible ?

SILVIA. Je voulais me venger de ces femmes, vous savez bien ? Cela s'est passé.

FLAMINIA. Vous n'êtes guère vindicative[1].

SILVIA. J'aimais Arlequin ; n'est-ce pas ?

10 **FLAMINIA.** Il me le semblait.

SILVIA. Eh bien, je crois que je ne l'aime plus.

FLAMINIA. Ce n'est pas un si grand malheur.

SILVIA. Quand ce serait un malheur, qu'y ferais-je ? Lorsque je l'ai aimé, c'était un amour qui m'était venu ; à cette heure je ne l'aime
15 plus, c'est un amour qui s'en est allé ; il est venu sans mon avis, il s'en retourne de même ; je ne crois pas être blâmable.

FLAMINIA, *les premiers mots à part.* Rions un moment. Je le pense à peu près de même.

SILVIA, *vivement.* Qu'appelez-vous à peu près ? Il faut le penser
20 tout à fait comme moi, parce que cela est. Voilà de mes gens qui[2] disent tantôt oui, tantôt non.

FLAMINIA. Sur quoi vous emportez-vous donc ?

SILVIA. Je m'emporte à propos[3] ; je vous consulte bonnement, et vous allez me répondre des à peu près qui me chicanent[4] !

---

1. **Vindicative :** rancunière.
2. **Voilà de mes gens qui :** qu'est-ce que ces gens qui...
3. **À propos :** justement, avec raison.
4. **Chicanent :** contrarient.

25 **FLAMINIA.** Ne voyez-vous pas bien que je badine, et que vous n'êtes que louable ? Mais n'est-ce pas cet officier que vous aimez ?

SILVIA. Et qui donc ?[1] Pourtant je n'y consens pas encore, à l'aimer ; mais à la fin, il faudra bien y venir : car dire toujours non à un homme qui demande toujours oui, le voir triste, toujours se
30 lamentant, toujours le consoler de la peine qu'on lui fait, dame ! cela lasse : il vaut mieux ne lui en plus faire.

FLAMINIA. Oh ! vous allez le charmer ; il mourra de joie.

SILVIA. Il mourrait de tristesse, et c'est encore pis.

FLAMINIA. Il n'y a pas de comparaison.

35 **SILVIA.** Je l'attends ; nous avons été[2] plus de deux heures ensemble, et il va revenir avec moi quand le prince me parlera. Cependant quelquefois j'ai peur qu'Arlequin ne s'afflige trop ; qu'en dites-vous ? Mais ne me rendez pas scrupuleuse.

FLAMINIA. Ne vous inquiétez pas ; on trouvera aisément moyen
40 de l'apaiser.

SILVIA, *avec un petit air d'inquiétude.* De l'apaiser ! Diantre ! il est donc bien facile de m'oublier, à ce compte ? Est-ce qu'il a fait quelque maîtresse, ici ?

FLAMINIA. Lui, vous oublier ? J'aurais perdu l'esprit si je vous le
45 disais. Vous serez trop heureuse s'il ne se désespère pas.

SILVIA. Vous avez bien affaire[3] de me dire cela ! Vous êtes cause que je redeviens incertaine, avec votre désespoir.

FLAMINIA. Et s'il ne vous aime plus, que direz-vous ?

SILVIA. S'il ne m'aime plus ?... vous n'avez qu'à garder votre nouvelle.

50 **FLAMINIA.** Eh bien, il vous aime encore, et vous en êtes fâchée ! Que vous faut-il donc ?

SILVIA. Hum ! vous qui riez, je vous voudrais bien voir à ma place !

FLAMINIA. Votre amant vous cherche ; croyez-moi, finissez avec lui, sans vous inquiéter du reste.
55 *Elle sort.*

---

1. **Et, qui donc ?** : et qui d'autre ?
2. **Nous avons été** : nous avons passé.
3. **Bien affaire de** : bien besoin de.

Scène 9 SILVIA, LE PRINCE

LE PRINCE. Eh quoi ! Silvia, vous ne me regardez pas ? Vous deve-nez triste toutes les fois que je vous aborde ; j'ai toujours le chagrin de penser que je vous suis importun.

SILVIA. Bon, importun ! je parlais de lui tout à l'heure.

5 **LE PRINCE.** Vous parliez de moi ? et qu'en disiez-vous, belle Silvia ?

SILVIA. Oh ! je disais bien des choses ; je disais que vous ne saviez pas encore ce que je pensais.

LE PRINCE. Je sais que vous êtes résolue à me refuser votre cœur, et c'est là savoir ce que vous pensez.

10 **SILVIA.** Vous n'êtes pas si savant que vous le croyez, ne vous van-tez pas tant. Mais, dites- moi, vous êtes un honnête homme, et je suis sûre que vous me direz la vérité : vous savez comme je suis avec Arlequin ; à présent prenez[1] que j'ai envie de vous aimer : si je contentais mon envie, ferais-je bien ? ferais-je mal ? Là, conseillez-

15 moi dans la bonne foi[2].

LE PRINCE. Comme on n'est pas le maître de son cœur, si vous aviez envie de m'aimer, vous seriez en droit de vous satisfaire ; voilà mon sentiment.

SILVIA. Me parlez-vous en ami ?

20 **LE PRINCE.** Oui, Silvia, en homme sincère.

SILVIA. C'est mon avis aussi : j'ai décidé de même, et je crois que nous avons raison tous deux ; ainsi je vous aimerai, s'il me plaît, sans qu'il ait le petit mot à dire.

LE PRINCE. Je n'y gagne rien, car il ne vous plaît point[3].

---

1. **Prenez :** imaginez.
2. **Dans la bonne foi :** de bonne foi.
3. **Car il ne vous plaît point :** car cela (m'aimer) ne vous plaît pas.

25 **SILVIA.** Ne vous mêlez point de deviner ; car je n'ai point de foi à vous[1]. Mais enfin ce prince, puisqu'il faut que je le voie, quand viendra-t-il ? S'il veut, je l'en quitte[2].

LE PRINCE. Il ne viendra que trop tôt pour moi ; lorsque vous le connaîtrez mieux, vous ne voudrez peut-être plus de moi.

30 **SILVIA.** Courage ! vous voilà dans la crainte à cette heure ; je crois qu'il a juré de n'avoir jamais un moment de bon temps.

LE PRINCE. Je vous avoue que j'ai peur.

SILVIA. Quel homme ! il faut bien que je lui remette l'esprit. Ne tremblez plus ; je n'aimerai jamais le prince, je vous en fait un ser-
35 ment par…

LE PRINCE. Arrêtez, Silvia ; n'achevez pas votre serment, je vous en conjure.

SILVIA. Vous m'empêchez de jurer ? cela est joli ![3] ; j'en suis bien aise.

LE PRINCE. Voulez-vous que je vous laisse jurer contre moi ?

40 **SILVIA.** Contre vous ! est-ce que vous êtes le prince ?

LE PRINCE. Oui, Silvia ; je vous ai jusqu'ici caché mon rang, pour essayer de ne devoir votre tendresse qu'à la mienne ; je ne voulais rien perdre du plaisir qu'elle pouvait me faire. À présent que vous me connaissez, vous êtes libre d'accepter ma main et mon cœur,
45 ou de refuser l'un et l'autre. Parlez, Silvia.

SILVIA. Ah, mon cher prince ! j'allais faire un beau serment ! Si vous avez cherché le plaisir d'être aimé de moi, vous avez bien trouvé ce que vous cherchiez ; vous savez que je dis la vérité, voilà ce qui m'en plaît[4].

50 **LE PRINCE.** Notre union est donc assurée.

---

1. **Foi à vous :** confiance en vous.
2. **Je l'en quitte :** je l'en tiens quitte.
3. **Cela est joli !** : c'est du beau !
4. **Voilà ce qui m'en plaît :** voilà ce qui me plaît en l'occurrence.

Clefs d'analyse

Compréhension

Une révélation bien préparée
- Dire si le prince est sincère au début de la scène.
- Dévoiler sa stratégie.

Un dénouement de conte de fées
- Justifier le fait que ce soit sous son habit d'officier que le prince obtient l'aveu d'être aimé.
- À quoi sert le serment que n'achève pas Silvia.
- Commenter l'exclamation de Silvia à la ligne 46.

Réflexion

Une problématique morale
- Justifier le fait que Silvia demande à l'officier un conseil moral concernant son inconstance (lignes 13 à 15). Est-elle sûre de son bon droit ?
- Expliquer l'utilisation de la causale : « Comme on n'est pas le maître de son cœur » (ligne 16) et la rapprocher des lignes 13 à 16 de la scène 8.
- Récapituler les arguments par lesquels Silvia et le prince justifient l'inconstance amoureuse.
- Dire si ces arguments tiendraient dans n'importe quelle situation.

> ### À retenir
> *Marivaux s'interroge sur les mouvements du cœur humain. Dans* La Double Inconstance, *il utilise les mêmes arguments que les libertins de son époque pour justifier l'inconstance comme un mouvement irrépressible que ni la raison ni la volonté ne contiennent.*

Clefs d'analyse

Scène 10 ARLEQUIN, FLAMINIA, SILVIA, LE PRINCE

ARLEQUIN. J'ai tout entendu, Silvia.

SILVIA. Eh bien, Arlequin, je n'aurai donc pas la peine de vous rien dire ; consolez-vous donc comme vous pourrez de vous-même. Le prince vous parlera, j'ai le cœur tout entrepris[1] : voyez, accommodez-
5 vous, il n'y a plus de raison à moi[2], c'est la vérité. Qu'est-ce que vous me diriez ? que je vous quitte. Qu'est-ce que je vous répondrais ? que je le sais bien. Prenez[3] que vous l'avez dit, prenez que j'ai répondu, laissez-moi après, et voilà qui sera fini.

LE PRINCE. Flaminia, c'est à vous que je remets Arlequin ; je
10 l'estime et je vais le combler de biens. Toi, Arlequin, accepte de ma main Flaminia pour épouse, et sois pour jamais assuré de la bienveillance de ton prince. Belle Silvia, souffrez que des fêtes qui vous sont préparées annoncent ma joie à des sujets dont vous allez être la souveraine.

15 **ARLEQUIN.** À présent, je me moque du tour que notre amitié nous a joué. Patience ; tantôt nous lui en jouerons d'un autre.

---

1. **Entrepris :** occupé.
2. **Il n'y a plus de raison à moi :** je ne suis plus maîtresse de ma raison.
3. **Prenez que :** considérez que, faites comme si.

Synthèse Acte III

Deux nouveaux couples se forment

Personnages

▌ Le triomphe de Flaminia

Flaminia achève la conquête d'Arlequin en confiant à Trivelin le rôle de rival : la comédie dans la comédie se poursuit, mais elle conduit à une vérité troublante, révélée dès la scène 1 où Flaminia avoue au prince : « C'est une petite bagatelle qui ne mérite pas de vous être dite ; c'est que j'ai pris du goût pour Arlequin, seulement pour me désennuyer dans le cours de notre intrigue. » Comment faut-il entendre ce semi-aveu, et surtout la restriction à une finalité sans envergure qu'introduit le « seulement pour » ? Doit-on donner un sens ironique à ce mot « bagatelle » ? Quant au mot « goût », il appartient au vocabulaire libertin : l'amour-goût est l'amour réduit au seul fait de plaire et de rechercher son plaisir.

▌ La réalisation de la double inconstance

L'acte voit s'accomplir ce que promettait le titre : Silvia et Arlequin changent d'objet aimé. À la scène 7, Arlequin prévoit son mariage avec Flaminia, après avoir posé pour préalable que Silvia épouserait le prince : « puisque notre cœur s'est mécompté et que nous nous aimons par mégarde, nous prendrons patience et nous nous accommoderons à l'avenant ». Dans la scène suivante, Silvia achève de se défaire de son amour pour Arlequin, face à Flaminia, qui continue de l'aider à voir clair dans son cœur : « c'est un amour qui s'en est allé ».

Langage

▌ Le discours amoureux de la maturité

Les nouveaux duos d'amour contrastent avec ceux du premier acte, lorsque Silvia et Arlequin se juraient un amour éternel. Plus d'appellatifs naïfs, plus de serments. Les nouveaux amants, devenus plus mûrs, se contentent plus sobrement de lire en leur cœur : « Si vous avez cherché à être aimé de moi, vous avez bien trouvé ce que vous cherchiez », dit seulement Silvia, à celui qu'elle va finalement épouser.

▮ Le discours libertin

À côté de ce nouveau discours amoureux étrangement sobre et raisonnable, le troisième acte laisse entendre, çà et là, un discours libertin en phase avec l'esprit de la Régence. On a vu que Flaminia parlait de « goût » plutôt que de passion amoureuse. Mais c'est lorsqu'elle se débarrasse de toute culpabilité que Silvia profère un discours fort à la mode au début du XVIIIe siècle, dans la scène 8 : « Quand ce serait un malheur, qu'y ferais-je ? Lorsque je l'ai aimé, c'est un amour qui m'était venu ; à cette heure je ne l'aime plus, c'est un amour qui s'en est allé ; il est venu sans mon avis, il s'en retourne de même ; je ne crois pas être blâmable. »

Société

▮ La dialectique du prince et de son sujet

Dans la scène 5, Arlequin apparaît sous un nouveau jour. Il n'est plus le naïf, l'homme fruste qui prend tout pour argent comptant et nous fait rire à ses dépens : il traite d'égal à égal avec le prince ; il joute contre lui avec une redoutable adresse ; et cette adresse annonce celle de Figaro, joutant avec Almaviva, lui rappelant pareillement qu'un grand Seigneur doit mériter sa supériorité sociale en se montrant toujours généreux et juste. La dialectique est subtile qui unit dans cette scène 5 le prince à son sujet. Arlequin attaque au passage les courtisans : « ne vous fiez pas à ces gens qui vous disent que vous avez raison avec moi, car ils vous trompent ». Le sujet sait poser à son prince les bonnes questions, celles qui font éclater l'injustice que constitue le rapt de Silvia ; il se met à sa place et l'oblige ainsi à se poser les bonnes questions : « Faut-il que je retienne le bonheur de ce petit homme parce que j'ai le pouvoir de le garder ? N'est-ce pas à moi à être son protecteur, puisque je suis son maître ? »

▮ Un monde où la bonté régnerait...

Cette dialectique du maître et de l'esclave est toutefois dépassée, en fin de scène, par la générosité dont font preuve les deux hommes. Une générosité désespérée et qui les rend parfaitement égaux :

Le prince : Il faut avouer que tu as le cœur excellent !

Arlequin : Et vous aussi ; voilà qui m'ôte le courage.

Sans doute est-ce cette communion dans une réciproque bonté, cette complète ouverture à l'autre qui fait la morale de la pièce.

POUR
APPROFONDIR

Genre, action, personnages

Genre

▌*Une œuvre qui s'écarte de la comédie classique*

Marivaux a donné l'appellation « comédie » à *La Double Inconstance*, mise à l'affiche le 6 avril 1723. Toutefois, cette pièce est loin d'être une comédie classique : d'abord parce qu'elle se situe dans un palais, lieu traditionnel des tragédies. La comédie classique ne met en scène que des personnages de modeste condition, pas des princes. Marivaux se distingue aussi de Molière dans la mesure où il ne peint pas des caractères (un avare, un malade imaginaire...), mais des sentiments qu'il analyse, et des mœurs dont il fait la satire. Chez Molière, le couple amoureux n'est qu'au second plan, alors qu'il occupe le tout premier plan chez Marivaux. Ce qui s'oppose au bonheur du couple des amoureux chez Molière, c'est l'autorité et la monomanie des pères. Chez Marivaux, l'obstacle est toujours intérieur, les héros luttent contre le sentiment qui éclôt en eux et les bouleverse.

▌*Une comédie de sentiment*

En fondant son théâtre sur l'analyse de l'amour, de sa naissance à son agonie, Marivaux réinvente la comédie. Son comique peut parfois prendre des airs de farce, comme lorsque Arlequin dégaine sa « latte » pour corriger les valets qui courent à sa suite pour l'honorer... en vain (acte I, scène 9) ; mais il procède le plus souvent d'un humour des plus subtils. Cet humour délicat tient à ce que les personnages laissent deviner leurs sentiments aux spectateurs, sans réaliser eux-mêmes ce qu'ils en font paraître. Marivaux tire ses effets humoristiques de la double énonciation (le public comprend mieux et plus vite que les personnages présents sur la scène), et sur ce que la psychanalyse appelle le « lapsus » : l'inconscient affleure dans les paroles et les actes des personnages, sans qu'eux-mêmes aient conscience de ce qu'ils avouent. Ce constant décalage entre ce que le personnage croit dire et ce que le spectateur comprend est typiquement marivaldien. Il suppose une grande habileté dans l'écriture des répliques et des tirades destinées à une double entente. Ce décrochage entre le dire et le dit s'apparente aussi à l'ironie, à ceci près que l'ironie est par nature polémique, alors que la double énonciation marivaldienne ne cherche qu'à divertir les spectateurs en stimulant et en affinant leur écoute.

Marivaux aime aussi à peindre la lutte de l'amoureux contre le sentiment qui l'envahit et bouscule tous ses repères. Dans *La Double Inconstance*, ce sont d'abord les repères géographiques et sociologiques qui volent en éclats : Silvia et Arlequin quittent leur village pour un « pays » étrange qui obéit à une étiquette des plus surprenantes. Mais, plus profondément, c'est la morale qui leur fait préférer leur tranquillité à la vie artificielle de la cour, la fidélité à l'inconstance, toutes choses que Silvia et Arlequin finiront par renier : ce faisant, sans doute se renient-ils eux-mêmes, à moins que leur nouvel amour ne leur permette d'accéder à une autre dimension d'eux-mêmes. Cette expérience de l'inconstance amoureuse leur aura peut-être apporté maturité et lucidité…

Une comédie de mœurs

Marivaux peint les mœurs en adoptant la posture du moraliste dénonçant l'hypocrisie et la corruption de la vie à la cour. Cette dénonciation n'est pas sans rappeler La Bruyère ou Saint-Simon. Elle évoque aussi Molière, toujours prêt à railler la comédie sociale, comme il le fait notamment dans son *Misanthrope*. Alceste a pris en haine le genre humain parce qu'il ne supporte plus la cruelle absence de sincérité qui règne dans la vie des courtisans. À travers le personnage de Célimène, Molière satirise aussi la coquetterie féminine ; et sans doute Lisette est-elle la digne héritière de Célimène, par la conscience qu'elle a de ses charmes, par les artifices (comme sa mouche) dont elle use et abuse. Pour mettre à distance les mœurs de ses contemporains, Marivaux utilise le personnage du naïf. Voltaire fera de même avec son *Candide* et son *Ingénu*. Rien de tel qu'un homme fruste pour rendre patentes les vanités d'un excès de raffinement. Le bon sens est du côté des hommes de la nature, alors que chez les courtisans la vérité s'est perdue dans le miroitement des apparences. Par cette thématique du bon naturel opposé aux artifices corrupteurs, Marivaux annonce Rousseau. Par sa réflexion politique sur la différence des classes sociales et sur l'arbitraire des princes, Marivaux sort du cadre de la comédie de mœurs et se rattache à une réflexion que l'on trouve aussi chez Montesquieu (*Les Lettres persanes* sont de deux ans seulement antérieures à *La Double Inconstance*). Du reste, chez ces deux auteurs, le despotisme est lié à la claustration : celle des femmes d'Usbek dans le sérail, celle de Silvia dans le palais.

Une comédie parfois larmoyante

La Double Inconstance n'est pas uniformément drôle et badine. Le rapt initial plonge Silvia dans le désespoir. Lorsqu'il arrive au château, Arlequin est tout aussi désespéré. Le premier acte est assez sombre et inspire au spectateur un sentiment de pitié pour les deux villageois que l'on cherche à séparer. Mais c'est surtout la scène 5 de l'acte III qui, mettant le prince et Arlequin face à face, donne libre cours au pathétique. Il n'est besoin que de relever les didascalies de cette scène pour en percevoir la tonalité triste : « *tristement, toujours triste, triste* ». Pareille scène est typique d'une comédie larmoyante, telle que la pratiquent notamment Destouches, par exemple dans *Le Glorieux,* daté de 1732, et Nivelle de La Chaussée, auteur du *Préjugé à la mode* daté de 1735. Le préjugé qui donne son titre à la pièce fait mesurer la valeur d'un homme au nombre de ses conquêtes féminines ; mais il interdit de s'éprendre de sa propre femme. Dans la pièce, les bons sentiments et la morale conjugale finissent cependant par l'emporter sur l'antimorale des libertins. Ces comédies larmoyantes préfigurent le drame sérieux qui fait florès dans la seconde moitié du siècle et que théoriseront et pratiqueront Diderot ainsi que Beaumarchais. Dans les drames qui se situent dans un milieu bourgeois, les bons sentiments triomphent en inspirant de la compassion aux spectateurs qu'il s'agit d'édifier. Le genre sérieux cherche à susciter de la pitié tout en refusant de prendre les grandes poses de la tragédie.

▌ Une comédie italienne

Marivaux exploite les talents des comédiens-italiens, rompus à l'art de l'improvisation, mobiles et vifs sur scène. L'Arlequin de *La Double Inconstance* reprend certaines des caractéristiques du type italien, comme la gourmandise et la pauvreté. On sait qu'il ne se laisse pas corrompre par les richesses mais par des repas « friands ». Les losanges de son costume traditionnel rappellent les loques de la misère. La latte dont il fait usage pour battre Trivelin est également propre à l'Arlequin de la *commedia dell'arte*. À la scène 9 de l'acte I, Arlequin court après les valets qui le suivent et qu'il chasse : c'est l'occasion d'un lazzi typique de la Comédie-Italienne. On voit comment la tradition de la *commedia dell'arte* inspire à Marivaux son comique farcesque. Les rôles du prince, de Flaminia et de Silvia sont tenus par les principaux comédiens de la troupe des Italiens et inspirés par eux. Luigi Riccoboni, dit Lélio (d'où le lapsus de la scène 3 de l'acte II), joue le prince ; sa femme, Elena Balletti, joue Flaminia ; Silvia est le surnom de Zanetta Rosa Benozzi. Arlequin est joué par Thomassin.

▌ Une œuvre entre pastorale et féerie

Le cadre bucolique dans lequel le prince, sous une identité de simple officier, a rencontré Silvia permet à Marivaux d'exprimer la nostalgie d'une vie innocente et harmonieuse : la vie champêtre, opposée à la vie à la cour. Arlequin résume pour Trivelin (acte I, scène 4) la simplicité de son bonheur villageois : « un bon lit, une bonne table, une douzaine de chaises de paille ». Ce cadre pastoral représente le paradis perdu par Silvia et Arlequin, plongés dans un monde qui va chercher à les séparer et les corrompre. Silvia exprime clairement cet idéal de vie innocente : « Une bourgeoise contente dans un petit village vaut mieux qu'une princesse qui pleure dans un bel appartement » (acte I, scène 1).

L'intrigue rappelle par certaines de ses composantes le conte de fées : un prince charmant rencontre dans une partie de chasse une jolie paysanne qui lui offre à boire, et dont il s'éprend aussitôt. Le beau prince enlève la jeune paysanne et la conquiert galamment.

Pour approfondir

Genre, action, personnages

Tout finit par un mariage d'amour. Enfin, *La Double Inconstance* se situe dans la continuité d'*Arlequin poli par l'amour* (1720) : un paysan y est enlevé par une fée amoureuse de lui, Flaminia. Cependant le berger ne ressent rien pour cette fée Flaminia. Il tombe amoureux d'une bergère, Silvia. Jalouse, la fée use de ses pouvoirs magiques pour tenter de détruire l'amour de Silvia et Arlequin. En vain… On voit qu'*Arlequin poli par l'amour* et *La Double Inconstance* se répondent : l'amour qui triomphe de Flaminia dans la première est au contraire anéanti par elle dans la seconde.

Action

▎*Une action constamment dédoublée*

Marivaux rompt visiblement avec la règle classique de l'unité d'action en menant deux intrigues amoureuses en parallèle. Arlequin et Silvia s'aiment au début de la pièce, mais cet amour va être détruit, tandis que deux nouvelles idylles verront le jour, conformément à ce que promet le titre. Tous les personnages se sont ligués pour changer le cœur des deux villageois : Trivelin essaie dès la première scène de convaincre Silvia en lui faisant miroiter le changement de condition et donc de fortune qu'entraînerait son mariage avec le prince. Il essaie pareillement de détourner Arlequin de Silvia en lui promettant la richesse dans la scène 4. Trivelin échoue dans sa double mission. Dans le premier acte, par des jeux de contrastes, il met en valeur la bonne foi et la parfaite honnêteté des deux jeunes amoureux qu'on veut séparer. Les échecs répétés de Trivelin semblent aussi destinés à mettre en valeur la subtile habileté tactique de Flaminia, véritable meneuse de jeu, misant en virtuose la carte de la tendre amitié. Elle favorise les confidences de la confiante Silvia, qu'elle détourne peu à peu du fruste et trop gourmand Arlequin (scène 11 de l'acte II, scène 8 de l'acte III). Par sa douceur constante, son attention et sa réserve, elle amène Arlequin à s'éprendre d'elle en s'inventant un amant perdu qu'Arlequin lui rappellerait. Lisette est également confrontée à Arlequin qu'elle cherche en vain à séduire (acte I, scène 6), et à Silvia, dont elle se croit la rivale et dont

elle est jalouse (acte I, scène 10). Si la mort de l'amour est redou-
blée, il en va de même pour la naissance de l'amour qui évolue au
long des actes II et III et leurs deux intrigues amoureuses parallèles.
Cette lente évolution qui fait passer Arlequin de l'amitié à l'amour et
qui conduit Silvia de l'intérêt à la passion fait surgir deux nouveaux
couples réunissant un personnage naïf, voire rustique, à un autre
très averti, voire enclin au libertinage. Ces nouveaux couples sont
fondés sur une différence de condition et de maturité. La nouvelle
harmonie amoureuse installe une complémentarité.

Une action centrée sur le prince

Le prince est au centre de la cour, qui ne vit que pour lui plaire et le
satisfaire, tout comme il est au centre de l'action qui se fait selon
son bon plaisir : n'écoutant que son propre désir, il fait enlever une
jeune fille promise à un autre ; ce rapt a lancé l'intrigue et nous rappelle l'enlèvement de Junie à Britannicus par Néron, dans la pièce de
Racine de 1669. C'est bien sûr pour s'attirer ses bonnes grâces que
Trivelin et Flaminia s'efforcent de séparer les deux amoureux, ce qui
motive l'avancée de l'action. C'est aussi parce qu'il les envoie que
Lisette (acte II, scène 8) et le Seigneur (acte III, scène 4) viennent
présenter leurs excuses aux deux villageois qu'ils ont traités fort peu
civilement. Même lorsqu'il n'est pas présent sur la scène, le prince
continue donc de régner sur l'action. Du reste, Flaminia parle de son
amour naissant pour Arlequin comme d'une « bagatelle » (fin de la
scène 2 de l'acte III), parce que cet amour ne saurait rivaliser avec
celui qu'éprouve le prince pour Silvia.

Le déroulement de l'action dépend également du déguisement du
prince qui se cache sous l'identité d'un officier pour séduire Silvia.
Il veut ainsi donner le change et faire semblant de ne pas devoir
l'amour de Silvia à son pouvoir royal. Mais les deux villageois sont
peu à peu transformés par la nouvelle vie que le prince peut leur
offrir. Marivaux démontre l'influence de la bonne chère sur les principes d'Arlequin ; parallèlement, on constate l'effet que produisent
les belles robes sur Silvia. Les deux jeunes villageois ne peuvent

Pour approfondir

garder la tête froide face aux fastes dont le prince les gratifie en son palais. Le dénouement se fait en deux temps, qui reposent sur la révélation de la véritable identité du prince. Cette révélation a d'abord lieu face à Arlequin : le prince découvre lors d'une scène d'affrontement pathétique l'étendue de sa propre injustice, avant de s'élever vers une souveraine bonté qui fait de lui un égal d'Arlequin (acte III, scène 7). Dans un deuxième temps, il met bas le masque face à Silvia (acte III, scène 9). Le rideau peut finalement tomber lorsque le prince est pleinement satisfait : il peut enfin épouser celle qu'il aime et recouvrer son identité. Cette réappropriation de soi-même est une caractéristique du théâtre marivaldien : si l'on ramenait l'action des pièces de Marivaux à une seule et même trajectoire, on constaterait que les héros progressent vers une clarté intérieure, une transparence de soi à soi.

Personnages

> **Sept personnages, soit deux villageois, quatre courtisans et un prince**

La pièce compte sept personnages, deux villageois, Arlequin et Silvia, et quatre courtisans gravitant autour du prince.

Si l'on excepte le Seigneur, qui n'est présent que dans la scène 7 de l'acte II et qui n'est désigné que par son appartenance à l'aristocratie, les personnages vont deux par deux.

Silvia et Arlequin sont deux villageois amoureux l'un de l'autre au début de la pièce. Ils sont rustiques et naïfs ; ce sont tout d'abord des victimes, puisque le prince menace leur amour.

Le deuxième couple de départ est formé par le prince et Flaminia, deux personnages habiles, cultivés, raffinés. Peut-être d'anciens libertins. Ils connaissent la vie ainsi que le cœur humain, ils sont prêts à tout pour réussir à séparer Arlequin et Silvia. Flaminia est souverainement habile et elle adapte sa conduite à ses desseins, jouant la comédie avec un grand talent. C'est une manipulatrice qui utilise la douceur et la tendresse pour mieux cacher ses manigances. Flaminia, tout comme le prince, aspirent sans doute à plus de sincérité. Ils sont en quête de naturel et probablement en quête d'eux-mêmes. C'est la raison pour laquelle ils s'éprennent des deux villageois qui incarnent leur désir de retrouver l'innocence perdue.

Le troisième couple pourrait associer Trivelin et Lisette. Ce sont des personnages secondaires, instrumentalisés par le prince et surtout par Flaminia. Lisette est une coquette ; c'est aussi la sœur de Flaminia, qui lui confie la mission de séduire Arlequin. Une mission qu'elle ne saura mener à bien. Trivelin n'est pas plus habile qu'elle et échoue pareillement à corrompre les deux villageois auxquels il promet fortune. Trivelin et Lisette sont absents lors du dénouement, ce qui confirme qu'ils n'ont été que des personnages subalternes.

Flaminia, meneuse de jeu, figure du dramaturge

Marivaux aime à confier la direction de l'action sur la scène à un personnage qui partage avec lui la science du cœur humain. Dans *Les Fausses Confidences* (1737), c'est un valet, Dubois, qui dirige l'action et manipule les autres personnages. Dans *La Double Inconstance*, c'est Flaminia qui met son habileté tactique au service du prince et défait un couple pour en fabriquer deux autres. Flaminia est un personnage trouble, dont on ne parvient pas à percer les vraies motivations : n'agit-elle que par ambition ? Jouit-elle de son pouvoir sur autrui ? Est-elle, lors du dénouement, sincèrement éprise d'Arlequin ? On peut en douter puisqu'elle parle de cet « amour » comme d'une « bagatelle ». Elle prétend qu'Arlequin est trop fruste pour Silvia, de sorte qu'on a du mal à croire qu'elle-même pourrait s'en contenter. Tombe-t-elle amoureuse d'un homme rustique qui prend tout au pied de la lettre et qui aime la bonne chère et le bon vin par-dessus tout ? Du début à la fin, Flaminia demeure mystérieuse. On ne sait où s'arrête la comédie qu'elle a habilement jouée à Arlequin pour gagner son amour. On est en droit de supposer qu'elle n'a agi que par calcul, pour s'attirer les faveurs du prince. Flaminia est en effet issue d'une condition modeste. On peut aussi croire en sa

Pour approfondir

137

conversion : peut-être qu'Arlequin, justement parce qu'il est différent d'elle, lui inspire des sentiments vrais.

Toujours est-il que Flaminia incarne le dramaturge sur la scène, parce qu'elle y gouverne l'action. C'est elle qui détruit l'amour d'Arlequin et de Silvia. C'est aussi elle qui conduit les deux naïfs à plus de maturité. Sans doute les révèle-t-elle à leur propre vérité.

Le prince, personnage paradoxal

Le prince abuse de son pouvoir lorsqu'il fait enlever Silvia, mais il se montre ensuite d'une parfaite courtoisie. Constamment réservé et mélancolique, il apparaît généreux et bienveillant avec les deux villageois, et même respectueux en parole des lois qu'il a pourtant enfreintes : « la loi, qui veut que j'épouse une de mes sujettes, me défend d'user de violence contre qui que ce soit », répond-il à Trivelin qui lui conseille de réduire les villageois récalcitrants par la force (acte I, scène 2). Il se déguise en officier pour ne devoir l'amour de Silvia qu'à lui-même et non à son pouvoir. Il est aimable et déborde d'amour pour la jeune villageoise, face à laquelle il prend constamment la pose de l'amoureux transi. Il est aussi visiblement fatigué des artifices des femmes de la cour, qu'on imagine sur le modèle de Lisette. C'est le naturel et l'ingénuité de Silvia qui le séduisent : « il n'y a que l'amour de Silvia qui soit véritablement de l'amour. Les autres femmes qui aiment ont l'esprit cultivé ; elles ont une certaine éducation, un certain usage ; et tout cela chez elles falsifie la nature » (acte III, scène 1). Toutefois, en faisant découvrir à Silvia la vie de la cour, en lui faisant des cadeaux et en flattant sa coquetterie, il met à mal son innocence. Dans une certaine mesure, il la pervertit. Face à Arlequin, il reconnaît ses torts et accepte même de lui faire justice et de renoncer à Silvia. Jamais il ne menace son rival. Il propose au contraire de lui laisser toutes les richesses qu'il lui a données, sans exiger Silvia en échange. Dans la scène 5 de l'acte III, le prince traite son sujet en égal. Et c'est finalement parce qu'ils ont une même bonté que le conflit est dépassé. Mais la bonté manifeste du prince peut-elle faire oublier qu'il est, tout comme Flaminia, un roué ?

Silvia, ingénument coquette

La sincérité et l'innocence de Silvia ont séduit le prince et l'ont fait rêver à une vérité perdue, parce qu'il est bien las des artifices de sa cour. Or Silvia n'est pas une villageoise ordinaire et elle n'est pas aussi fruste qu'Arlequin. Dès la première scène qui l'oppose à Trivelin, son tempérament fougueux permet aux spectateurs d'apprécier son sens de la repartie. Elle a beau ne pas être rompue aux dialogues enlevés de la cour, elle sait décocher des répliques qui font mouche, comme par exemple dans la scène 2 de l'acte II :

« Lisette : Quel âge avez-vous, ma fille ?

Silvia : Je l'ai oublié, ma mère. »

Elle est loin de manquer de cet esprit que Lisette, pour l'humilier devant le prince, lui demande de faire paraître :

« Lisette : ... priez-la de nous donner quelques traits de naïveté ; voyons son esprit.

Silvia : Eh ! non, Madame, ce n'est pas la peine ; il n'est pas si plaisant que le vôtre. »

C'est que Silvia est vive et volontiers emportée. Constamment intelligente, elle demeure sincère, surtout lorsqu'elle cherche la vérité de son cœur et la met au jour face à Flaminia.

Silvia connaît aussi ses propres charmes et n'aime pas qu'on les lui conteste. Sa coquetterie se donne à voir dans les scènes où elle est confrontée à Lisette (acte II, scènes 2 et 10) ou lorsque Flaminia lui rapporte les médisances des femmes de la cour (acte II, scène 1). Le plaisir qu'elle a à recevoir une belle robe (acte II, scène 4) est une autre preuve de cette coquetterie, propre sans doute, d'après Marivaux, à la nature féminine.

Arlequin, pas si typique...

Dans *La Double Inconstance*, Arlequin n'est pas un valet. C'est un homme libre qui s'exprime ouvertement et avec audace. Le personnage s'écarte ainsi de son type originel. Dans la *commedia dell'arte*, Arlequin est un paysan pauvre qui vient à la ville pour embrasser la condition de valet. Ses habits son rapiécés et sa latte est une sorte

Pour approfondir

d'épée, mais en bois (une épée de pauvre). Certes, Marivaux tire profit de cette épée de bois, tout comme il s'amuse de sa gourmandise traditionnelle, en rythmant le temps de la pièce par les repas. Mais il tire plutôt parti du regard neuf que cet homme venu de la campagne et doté d'un redoutable bon sens pose sur le monde frelaté de la cour. C'est par la bouche d'Arlequin que Marivaux fait la satire des mœurs des courtisans, invitant le spectateur à questionner les apparences trompeuses qui éloignent du vrai bonheur : celui d'une vie simple dans les champs. C'est d'ailleurs vers cette vie qu'Arlequin repart finalement, emmenant Flaminia. Sa trajectoire est donc différente de celle de Silvia, prompte à changer sa vie de villageoise pour une vie de princesse. Arlequin n'est pas pour autant un personnage d'une seule pièce. Il se montre fruste dans le premier acte, où il prend tout au pied de la lettre (à moins qu'il ne fasse semblant...), et naïf lorsqu'il met Silvia et Flaminia à égalité, proposant une partie carrée à la scène 9 de l'acte II. C'est toutefois un habile rhéteur face au prince à qui il demande justice, dans la scène 5 de l'acte III. Il y développe un argumentaire intelligent ; il y manifeste un vrai sens politique et surtout une grandeur morale que l'on n'attendait pas de ce petit homme. Par son intelligence courageuse, il devient l'égal du prince. Il est aussi son égal en bonté. De personnage trivial, il se mue en admirable héros : un homme hardiment dressé face à celui qui incarne l'arbitraire du pouvoir. Il annonce le Figaro de Beaumarchais, luttant par sa verve contre le « droit du seigneur » et affrontant fièrement Almaviva. Dans *La Double Inconstance*, Arlequin n'est pas seulement un personnage burlesque, il est aussi le porte-parole de tous ceux que le pouvoir despotique spolie.

▌ Lisette, nouvelle Célimène

Lisette est une coquette, héritière de la Célimène dont Alceste, le misanthrope de Molière, est malheureusement amoureux. C'est aussi la sœur de Flaminia, et toutes deux sont filles d'anciens domestiques. Le chemin qu'elles ont parcouru témoigne de leur ambition. Mais Lisette, à la différence de Flaminia, est prisonnière des apparences qu'elle crée. Elle n'a pas l'intelligence de sa sœur, qui garde toujours ses distances par rapport aux jeux qu'elle invente pour plaire. Face à Arlequin, elle se montre incapable de trouver le ton et l'attitude qui puissent plaire à un homme fruste. Elle utilise les recettes dont elle a l'habitude et échoue piteusement. Elle est sans doute à plaindre, car elle a pu rêver être l'élue du prince. On conçoit quelle doit être sa jalousie et l'on copmprend qu'elle veuille prendre sa revanche sur Silvia.

Trivelin, un subalterne sans grande intelligence ni vraie bonté

Trivelin sert de faire-valoir aux autres personnages et surtout à Flaminia, qui réussit là où lui-même échoue. Il représente le pouvoir du prince dans ce qu'il a d'injuste. Ainsi, au lever du rideau, il est face à Silvia dont il ne parvient pas à apaiser la colère. Parallèlement, il ne parviendra pas à convaincre Arlequin de renoncer à celle qu'il aime. Parce qu'il est intéressé, il met paradoxalement en valeur la noblesse morale des villageois qui préfèrent leur bonheur simple et vrai, leur amour sincère et réciproque à des honneurs affectés et à des biens matériels. En tant que bras armé du prince et chargé des basses besognes, il en déleste ce dernier qui peut ainsi rester dans son rôle d'amoureux courtois.

Pour approfondir

L'œuvre : origines et prolongements

Une intrigue empruntée à l'une des narrations de La Voiture embourbée

LA DOUBLE INCONSTANCE, à laquelle la critique n'a pu trouver de sources patentes, se rattache d'abord au thème du rapt présent aussi dans l'un des romans de jeunesse de Marivaux, *La Voiture embourbée* (1714) : un « sophi », c'est-à-dire un prince de Perse, a rencontré à la chasse une jeune fille prénommée Bastille (rencontre similaire à celle du prince et de Silvia). Comme il tombe aussitôt amoureux d'elle, il l'enlève à son fiancé Créor et il en fait sa sultane favorite. À la manière de Silvia, Bastille, sans être cultivée, manifeste un esprit « disposé à recevoir les impressions les plus fines et les plus polies ». Elle tombe sous le charme de celui qui l'a enlevée et oublie son premier amour. L'intrigue de *La Double Inconstance* est donc très proche de celle de l'une des narrations qui composent *La Voiture embourbée*. C'est sans doute la source majeure de notre pièce.

Le conte de fées

POUR CONSTRUIRE son intrigue amoureuse entre le prince et Silvia, Marivaux semble s'inspirer du conte de fées : une jeune paysanne, sorte de Cendrillon, rencontre un prince charmant qui s'est égaré lors d'une chasse ; elle lui offre de l'eau et il est ébloui par sa beauté. Peu après, telle la Belle au bois dormant, elle se réveille dans un palais où tous ses vœux sont exaucés. Elle reçoit des robes aussi merveilleuses que celles de Peau-d'Âne, ses moindres désirs sont comblés. Par un heureux retournement de situation, elle tombe amoureuse du prince qui s'avère être charmant. Tout finit dans le triomphe d'un bonheur partagé : ils vécurent heureux et ils eurent beaucoup d'enfants... Sans doute est-ce pour jouer avec sa propre inspiration que Marivaux fait dire à Flaminia : « Eh ! Seigneur, ne l'écoutez pas avec son prodige, cela est bon dans un conte de fées » (acte I, scène 2). L'auteur est donc conscient de reprendre en partie la trame d'un conte de fées.

La pastorale

MARIVAUX joue aussi humoristiquement avec le genre de la pastorale, héritière des *Bucoliques* de Virgile et de la mythique Arcadie. L'Arcadie est une contrée imaginaire de l'Antiquité grecque où des bergers vivent heureux. Arlequin et Silvia ne sont pas loin d'être des bergers, même s'ils sont en vérité des villageois. Comme dans la pastorale, tous deux magnifient la simplicité de la vie aux champs, glorifiant la nature et l'opposant à une société raffinée conçue comme corruptrice. La pastorale a été à la mode au XVIIe siècle ; on peut notamment évoquer *L'Astrée* d'Honoré d'Urfé (1607 à 1619). L'auteur y peint les amours d'Astrée et de Céladon, berger de la vallée du Lignon. Dans l'un des épisodes de ce roman-fleuve, Gondebaut, un souverain puissant, enlève Chryséide, une jeune bergère innocente. Le thème du rapt de la jeune fille désirée a donc lui aussi pu être emprunté à *L'Astrée*. Dans ce roman précieux, c'est l'analyse du sentiment qui l'emporte, comme dans le théâtre de Marivaux.

MARIVAUX a pu s'inspirer de deux pièces mettant en scène un prince amoureux d'une bergère : dans *Silvie,* une pièce de Racan écrite en 1626, Thélane, le fils du roi de Sicile, se travestit en berger pour faire la cour à une bergère dont il s'est épris. En 1700, dans son *Démocrite,* Régnard reprend également le thème du roi amoureux d'une bergère. Une bergère est invitée à la cour en compagnie de son père et du philosophe Démocrite, lui aussi amoureux d'elle. Les personnages posent sur la cour le même regard qu'Arlequin, étrangers qu'ils sont aux fantaisies de ce monde jugé absurde. Leur regard naïf permet une vive satire de la corruption des mœurs à la cour.

ENFIN, on peut aussi rapprocher *La Double Inconstance* d'une pièce contemporaine : *L'Arlequin sauvage* de Louis François de la Drevetière Delisle ; la naïveté d'un personnage rustre y est pareillement exploitée dans le but de faire la satire du triomphe de l'hypocrisie régnant à la cour.

Pour approfondir

Une école de libertinage

LE PRINCE et Flaminia décident cyniquement de détruire un bel amour partagé. Ils construisent un plan qu'ils accomplissent de sang-froid. Ils pervertissent peu à peu deux villageois naïfs en leur mentant et en leur faisant vivre une vie luxueuse. C'est ainsi qu'ils les détournent de leur devoir et de la bonne foi qu'ils s'étaient mutuellement promis. Silvia est victime des manipulations de la redoutable Flaminia, une rouée qui annonce la marquise de Merteuil, héroïne de Laclos. Flaminia la convainc qu'Arlequin est trop fruste pour elle, alors qu'elle-même cherche à le séduire. Il faut dire qu'Arlequin est bien fait de sa personne et propre à inspirer le désir. Sans doute Flaminia a-t-elle aussi plaisir à s'emparer des êtres et à les gouverner à leur insu. Lorsque Silvia lui avoue qu'elle n'aime plus Arlequin, qu'elle s'est éprise du bel officier qui lui fait une cour assidue, elle l'aide à se débarrasser de sa culpabilité. Elle défend des principes qui seront au cœur du libertinage : l'amour naît et meurt sans que celui qui en est touché en soit responsable. Il faut renoncer à le faire rimer avec toujours et le vivre dans l'intensité de son surgissement, sans penser au lendemain. On songe au célèbre *Point de lendemain* de Vivant Denon (1777). Dans ce roman libertin, tout part, là encore, d'un enlèvement : Mme de T*** enlève le jeune Damon. Elle passe avec lui une nuit enchanteresse dans un château situé dans les environs de Paris. Elle le renvoie le lendemain, après s'être donné la joie de tromper son mari, son amant (un marquis) et l'une de ses amies, la maîtresse attitrée de Damon. Le caprice de Mme de T*** n'est inspiré que par l'ennui et le goût de la manipulation d'autrui. Dans un roman libertin, l'autre n'est qu'un objet qu'on utilise à son profit.

Un cynisme qui préfigure Laclos et Sade

DANS *La Double Inconstance*, comme dans *Les Liaisons dangereuses*, on voit des libertins inventer des machinations pour pervertir des êtres vertueux et innocents. Laclos s'est défendu d'avoir voulu magnifier le vice dans ses *Liaisons dangereuses* : il a constamment déclaré s'être au contraire donné pour mission de prévenir les jeunes filles des conséquences que peuvent avoir de mauvaises fréquentations. Il n'en demeure pas moins que les deux roués, Valmont et la Marquise de Merteuil, manifestent une telle intelligence tactique qu'on ne peut se défendre de les admirer. La morale ne sort donc pas indemne de la lecture de ce roman. De même la morale est-elle mise à mal par *La Double Inconstance* où est défendue l'idée que l'amour ne peut être constant, parce qu'il obéit aux caprices du désir et échappe à la volonté.

Dans *La Double inconstance*, en outre, le personnage de Flaminia semble jouir de son emprise sur les autres. Nous sommes tout près de la jouissance dans la perversion de l'objet d'amour qui est un thème majeur du XVIIIe siècle et qui trouve son apogée dans l'œuvre du marquis de Sade. Cette œuvre est au demeurant radicalement subversive. Elle remet en effet en cause tout principe d'autorité, toute morale sexuelle, et au-delà même, le respect de la personne humaine. Seule compte chez Sade la jouissance de l'individu, fût-ce en imposant des souffrances à autrui. Pire encore, chez Sade (d'où le mot « sadique ») le plaisir naît de la douleur qu'on impose à l'objet de son désir.

La naturelle inconstance, annonciatrice des thèses de Diderot

En fait, Marivaux n'est pas plus le défenseur du libertinage qui se pratique pendant la régence de Philippe d'Orléans qu'il n'est le chantre de l'amour indestructible. Sa sagesse le conduit à constater que la nature fait du désir une force éruptive incontrôlable. En rattachant l'amour aux aléas du désir plutôt qu'au discours amoureux convenu et aux serments, Marivaux annonce Diderot. Dans *Jacques le Fataliste* (paru en 1796, après la mort de Diderot), la fable de la gaine et du coutelet que raconte Jacques fait de l'inconstance une loi de la nature : la gaine et le coutelet se reprochent mutuellement leur inconstance (le coutelet a plusieurs gaines, et la gaine reçoit plusieurs coutelets). Voici comment ils sont mis d'accord : « Vous, gaine, et vous, coutelet, vous fîtes bien de changer puisque changement vous duisait (c'est-à-dire vous plaisait), mais vous eûtes tort de promettre que vous ne changeriez pas. Coutelet, ne vois-tu pas que Dieu te fit pour aller à plusieurs gaines, et toi, gaine, pour recevoir plus d'un coutelet ? ». La leçon est facile à comprendre. Toutefois, par-delà la grivoiserie de l'allégorie, Diderot confronte l'idéalisme amoureux aux lois de la nature. En philosophe matérialiste, il part du constat que, dans la nature tout change, rien n'est définitif. Il se demande par conséquent si l'amour peut échapper à cette précarité et durer, alors que le désir est éphémère. Marivaux est plutôt marqué par la philosophie sensualiste qui place la vérité dans le cœur autant que dans la raison. Il faut respecter cette vérité du cœur et être à l'écoute de ses propres sentiments. D'ailleurs, quand les personnages découvrent leur amour, ils découvrent en même temps qui ils sont vraiment.

Une satire du pouvoir royal qui rappelle Montesquieu et annonce Beaumarchais

En confiant à un personnage fruste la mission de conduire la satire du monde frelaté de la cour, Marivaux reprend un procédé que Montesquieu vient d'illustrer en 1721 dans ses fameuses *Lettres persanes*. Dans cette œuvre que Montesquieu fit paraître anonymement, la corruption de la royauté de Louis XIV, manipulé par les femmes, les ministres, les courtisans, est faite par deux persans. Ceux-ci, Usbek et Rica s'étonnent de ce qui est familier aux contemporains de Montesquieu. Dans les deux œuvres presque contemporaines, un homme fait de son désir une prison : Usbek a enfermé ses femmes dans un sérail où des eunuques les surveillent étroitement. Le prince a fait enlever Silvia qui est désormais sa prisonnière. Ainsi le despotisme est-il un régime politique potentiellement inhumain, parce qu'il nie l'égalité entre les êtres humains, quel que soit leur sexe, quelle que soit leur condition sociale. Le despote se place au-dessus des lois alors que le roi devrait en garantir le parfait respect à ses sujets. Montesquieu et Marivaux dénoncent tous les errements d'un monde où la corruption règne, parce que les valeurs aristocratiques se sont perdues. Pour Montesquieu, un aristocrate devrait toujours se montrer digne, par sa noblesse de cœur, son comportement et son rang. La même idée est défendue par Marivaux : il ne suffit pas d'être prince, encore faut-il se comporter comme tel.

Or, loin de montrer sa hauteur d'âme, le prince de *La Double Inconstance* abuse de son pouvoir, comme Almaviva, grand seigneur méchant homme rappelant le Dom Juan de Molière dans la plus célèbre pièce de Beaumarchais, *Le Mariage de Figaro*. Almaviva, aristocrate libertin, veut profiter du « droit du seigneur » (c'est-à-dire d'un droit de cuissage) lors du mariage de son valet Figaro avec la camériste de sa femme, Suzanne. Pourtant, Almaviva est grand corregidor d'Espagne ; cela signifie qu'il est en charge de la justice. Dans la scène 5 de l'acte III, Figaro n'hésite pas à affronter le prince pour lui reprocher ses torts. Par son audace comme par sa faculté de raisonner et le brio verbal dont il fait preuve, l'Arlequin de *La Double Inconstance* annonce le Figaro du *Mariage*. Les thèmes de l'abus de pouvoir et de la noirceur du despotisme font de cette pièce une œuvre annonciatrice des Lumières, comme le sont, pour les mêmes raisons, *Les Lettres persanes*.

Une subtilité qui annonce Musset

Dans *Les Caprices de Marianne* (1833), Musset place une femme au centre de sa pièce et la confronte à un libertin, Octave. Coelio aime Marianne, épouse d'un vieux juge tyrannique, Claudio. Comme Coelio est timide, il demande à son ami Octave de plaider sa cause auprès de celle qu'il aime. Mais Marianne est sensible au charme d'Octave auquel elle donne un rendez-vous. Octave, fidèle à son ami, l'envoie à sa place à ce rendez-vous galant. Et il est tué par des spadassins commandés par Claudio, le mari jaloux. Marianne, comme Silvia, est une héroïne qui défend sa liberté de femme : « Qu'est-ce après tout qu'une femme ? L'occupation d'un moment, une coupe fragile qui renferme une goutte de rosée, qu'on porte à ses lèvres et qu'on jette par-dessus son épaule. Une femme ! C'est une partie de plaisir ! » (acte II, scène 1). Le personnage d'Octave pourrait être un prolongement du prince. Mais Octave ne prend pas, comme Lélio, la pose de l'amoureux transi. Il ne semble pas prêt à se convertir à la passion amoureuse : « Je ne sais pas aimer », dit-il à Marianne, « Coelio seul le savait ». La pièce, loin de s'achever par un mariage - comme c'est la règle dans une comédie -, s'achève en tragédie.

La noirceur de Marivaux exagérée par Anouilh

La plupart des pièces d'Anouilh unissent le rose au noir, comme le fait *La Double inconstance*, laquelle est au cœur de *La Répétition ou l'amour puni* (1950). Dans cette pièce, Anouilh représente une troupe de théâtre qui répète *La Double Inconstance* de Marivaux. C'est l'occasion pour lui de réinterpréter la pièce, en mettant l'accent sur ses propres thématiques, c'est-à-dire celles qui hantent son théâtre. Il s'y montre révolté par tout ce qui porte atteinte à la pureté des êtres, scandalisé par le pouvoir que confère l'argent et par l'asservissement des pauvres. Il y dévoile la laideur ordinaire de l'existence en s'attaquant surtout aux bourgeois. Anouilh pose donc sur *La Double inconstance* un regard sombre. Il lit la pièce comme « l'histoire élégante et gracieuse d'un crime ». Tels sont les mots de son porte-parole dans la scène IV de l'acte II. Marivaux a donc été l'un des inspirateurs d'Anouilh : comme lui, il mêle humour et pathétique dans des pièces parfois grinçantes et toujours brillantes. Le théâtre d'Anouilh est celui de la dénonciation de l'avilissement social. Et il est vrai que, par leur double inconstance, Silvia et Arlequin quittent l'innocence pour la compromission. Cette corruption de deux âmes pures se devait de fasciner Anouilh. Cependant, sans doute Anouilh tire-t-il la pièce de Marivaux vers son propre univers. Or il est beaucoup plus pessimiste et sombre que Marivaux, lequel se tient résolument dans un entre-deux : en même temps qu'ils deviennent inconstants, Silvia et Arlequin apprennent à mieux se connaître et mûrissent au lieu de rester ces éternels adolescents révoltés qu'affectionne particulièrement Anouilh.

L'œuvre et ses représentations

Un succès immédiat

Créée le 6 avril 1723, *La Double Inconstance* eut un succès immédiat auprès du public de la Comédie-Italienne. C'est sans doute le premier grand succès de Marivaux. Lélio, dans le rôle du prince, est attendrissant, et la comédienne qui interprète Silvia a la vivacité requise. La pièce sera d'ailleurs jouée jusqu'en 1726. Elle sera ensuite reprise çà et là. Marivaux a déclaré que c'était sa préférée. Puis elle sombre dans l'oubli : on lui reproche sa frivolité. La Révolution française préfère des pièces moins aristocratiques. Il faudra attendre le XXᵉ siècle pour que cette pièce rencontre à nouveau un public.

La Double Inconstance *relancée au* XXᵉ *siècle*

C'est au XXᵉ siècle que *La Double Inconstance* apparaît comme étant l'une des plus belles pièces de Marivaux. Elle est jouée au théâtre de l'Odéon en 1921, à la Petite Scène en 1925 et au théâtre Antoine en 1930. La pièce est donnée à la Comédie-Française en 1934 avec Madeleine Renaud dans le rôle de Silvia et Pierre Bertin dans celui d'Arlequin. Les décors sont inspirés d'un tableau de Watteau, *L'Embarquement pour Cythère*. Il faut aussi évoquer la mise en scène de Jacques Charron en 1950 : les comédiens y avaient une diction exprès artificielle et le décor représentait un jardin à la française avec une orangerie. Dans cette mise en scène étonnante, Micheline Boudet était Silvia, Robert Hirsch, Arlequin, Lise Delamare, Flaminia, et Julien Bertheau tenait le rôle du prince.

Une mise en scène pour la télévision

En 1967, Marcel Bluwal donne à Pierre Cassel le rôle du prince, à Danièle Lebrun celui de Flaminia, à Claude Brasseur celui d'Arlequin. La pièce est tournée dans un décor naturel, un château isolé. Marcel Bluwal insiste sur les ambiguïtés de l'intrigue, sa cruauté autant que sa vertu initiatique. La différence d'âge entre, d'une part, Flaminia et le prince et, d'autre part, Silvia et Arlequin est délibérée. Elle renforce la différence des conditions et permet de mettre en valeur la manipulation des villageois par le prince et ses courtisans. Claude Brasseur fait de son Arlequin un personnage tout en subtilité qui joue les rustres plus qu'il ne l'est véritablement.

149

Une mise en scène sadienne

En 1976, Jacques Rosner choisit de mettre l'accent sur la cruauté de la pièce qui raconte la mise à mort d'un bel amour innocent. Pour sa mise en scène, il prend de jeunes comédiens tout justes sortis du Conservatoire d'art dramatique. Richard Fontana a le rôle d'Arlequin, Sylvie Gentil, celui de Silvia, Bernadette Le Saché joue Flaminia. Au cours de la représentation de l'enlèvement de Silvia, une voix off lit des textes de Sade. Le prince et sa cour observent les scènes en voyeurs. Les villageois deviennent de simples objets d'expérience, manipulés par ceux qui abusent de leur pouvoir. À la fin du spectacle, Lisette et Trivelin sont exécutés pour avoir failli à ce que voulait le prince.

Une mise en scène politique

En 1980, Jean-Luc Boutté signe une mise en scène à la Comédie-Française qui insiste sur la dimension politique et sociale de la pièce en opposant deux mondes, celui de villageois pauvres habillés de costumes froissés à peine finis, et celui de courtisans puissants. Flaminia et Trivelin, par leur maturité, sont les meneurs de jeu qui manipulent les autres personnages. Jean-Paul Roussillon joue Arlequin, Richard Fontana est le prince, Françoise Seigner, Flaminia. Le décor à la géométrie glaciale n'est animé que par des jeux de lumière. La représentation est précédée par la lecture d'un extrait de *L'Éducation d'un prince*, dialogue philosophique que Marivaux écrivit sur le tard, et dans lequel il présentait une réflexion sur l'art de gouverner les peuples en respectant la morale chrétienne.

Une mise en scène des aléas de l'amour

En 1984, Michel Dubois signe une mise en scène qui met en valeur l'analyse des sentiments, pour la Comédie de Caen. Cette mise en scène sera reprise l'année suivante à Paris, au TEP. Jacques Gamblin y incarne Arlequin et Robert Mujeau le prince. Dans cette mise en scène, Trivelin ne joue pas la comédie de l'amour, pour rendre Arlequin jaloux : il est sincèrement amoureux de Flaminia, laquelle a aimé le prince et en a été la favorite. Le prince est un homme mûr qui veut retrouver sa jeunesse enfuie auprès de la toute jeune Silvia. Le décor représente une remise encombrée de chaises à porteurs, une pièce remplie d'objets cassés et abandonnés inspirant la mélancolie.

La mise en scène de Charlène Lyczba : violence en dentelles (2002, théâtre Clavel)

Dans cette mise en scène réalisée par la Compagnie du Belvédère, la séduction devient un jeu de dupes. La violence des rapports de force se dissimule sous l'apparente douceur de l'amitié trompeuse. Mais comme seul le désir fait loi, toutes les perversions sont rendues possibles. Charlène Lyczba fait en sorte que les duos d'amour soient joués avec une férocité contenue. Arlequin caresse les seins qui passent à sa portée, les corps sont non seulement présents, mais exhibés. Le décor, au contraire, est épuré. Les personnages se déplacent sur un damier rouge et blanc, saisissant symboliquement le paradoxe de la pièce où éclate la passion et où l'innocence se pervertit. La pièce est servie par des jeunes comédiens : Nicolas Melocco est un Arlequin plein de truculence. François Gently joue un prince retors. Dans le rôle de Silvia, Maud Leroy est pétillante et émouvante.

Une mise en scène particulièrement audacieuse

En 2004, Raymond Acquaviva présente au Sudden Théâtre une mise en scène qui transporte la pièce en Orient, et fait du prince un sultan régnant sur des femmes voilées. Ce sultan s'éprend d'une touriste occidentale qui visite le pays avec son fiancé en bermuda. Raymond Acquaviva insiste sur la thématique de la violence faite aux femmes par l'enfermement. Le palais est un espace clos où une seule femme a échappé à son destin de prisonnière, la libre Flaminia. La mise en scène conduit, par la transposition opérée, à s'interroger sur le statut que la religion islamique réserve aux femmes.

Mise en scène au théâtre de Chaillot par Christian Colin : le Marivaux des profondeurs (2007)

C'est Isild Le Besco qui joue Silvia, Audrey Bonnet, Flaminia, Jérémie Lippmann, Arlequin, et Alexandre Pavloff, le Prince. Dans cette mise en scène, Christian Colin veut faire apparaître le Marivaux des profondeurs. Il s'agit de contredire Sainte-Beuve qui ne voyait dans son

Pour approfondir

151

théâtre qu'un « badinage à froid, espièglerie compassée et prolongée, pétillement redoublé et prétentieux, enfin une sorte de pédantisme sémillant et joli. » Christian Colin, comme Anouilh, est plutôt sensible à la cruauté, à la noirceur qui se cachent sous la préciosité du langage et les duos d'amour policés. Il est sensible à la perversion des villageois innocents, à la cruelle manipulation qu'ils subissent, à l'abus de pouvoir dont ils sont les victimes qu'on rend peu à peu consentantes. Le metteur en scène a souhaité qu'on devine les ténèbres que dérobe la lumière de la naissance de l'amour. Il a voulu que quatre jeunes philosophes, deux garçons et deux filles, inspirés des héros de la Nouvelle Vague, jeunes et oisifs, discutent de l'amour à perte de vue, comme on le faisait à la veille de 1968. Ils échangent des propos tirés de quelques scénarios de Rohmer, qui éclairent et servent de contrepoints à la pièce. Le cinéaste Éric Rohmer partage en effet avec Marivaux l'art de montrer la cruauté sous la subtilité. Il est lui aussi sensible à la perversion que peuvent entraîner des désirs trop naïvement assumés.

Pour approfondir

La Double Inconstance, mise en scène de Jacques Charon.
Avec Robert Hirsch (Arlequin) et Daniel Lecourtois (Trivelin).
Comédie-Française, Paris, 1951.

La Double Inconstance, mise en scène de Michel Dubois.
Avec Jacques Gamblin, Claude Alexis, Louis Basile Samier,
Sylviane Simonet, Chantal Duruaz.
Théâtre de l'Est parisien, le 27 février 1984.

La Double Inconstance, mise en scène de Christian Colin.
Avec Grégoire Colin (Arlequin), Jean-Jacques Le Vessier (Trivelin).
Théâtre National de Chaillot, Paris, le 2 janvier 2007.

La Double Inconstance, mise en scène de Jean-Pierre Miquel. Avec Philippe Torreton et Coraly Zahonero. Théâtre du Vieux Colombier, le 14 janvier 1995.

Vers le bac

Corpus bac : les grands seigneurs face à leurs valets ou à leurs sujets

TEXTE 1

Marivaux, *La Double Inconstance* (1723), acte III, scène 5 (de la ligne 31 : « Tu te plains donc bien de moi… » à la ligne 76 : « Que je suis à plaindre ! »)

TEXTE 2

Molière, *Dom Juan ou le Festin de pierre* (1665), acte I, scène 1.

[Dom Juan est un grand seigneur libertin qui accumule les conquêtes féminines. Il vient de quitter son épouse Elvire. Sganarelle, son valet, explique à l'écuyer de la pauvre Elvire quelle sorte d'homme est son maître.]

Sganarelle : Je n'ai pas grande peine à le comprendre, moi ; et si tu connaissais le pèlerin, tu trouverais la chose assez facile pour lui. Je ne dis pas qu'il ait changé de sentiments pour Done Elvire, je n'en ai point de certitude encore : tu sais que, par son ordre, je partis avant lui, et depuis son arrivée, il ne m'a point entretenu ; mais, par précaution, je t'apprends, *inter nos*[1], que tu vois en Dom Juan, mon maître, le plus grand scélérat que la terre ait jamais porté, un enragé, un chien, un diable, un Turc, un hérétique, qui ne croit ni Ciel, ni enfer, ni loup-garou, qui passe cette vie en véritable bête brute, en pourceau d'Épicure[2], un vrai Sardanapale[3], qui ferme l'oreille à toutes les

---

1. *Inter nos :* entre nous.
2. Traduction du poète latin Horace, désignant péjorativement ceux qui s'adonnent aux plaisirs, les épicuriens.
3. **Sardanapale :** souverain débauché, roi légendaire d'Assyrie.

remontrances qu'on lui peut faire, et traite de billevesées[1] tout ce que nous croyons. Tu me dis qu'il a épousé ta maîtresse : crois qu'il aurait plus fait pour sa passion, et qu'avec elle il aurait encore épousé toi, son chien et son chat. Un mariage ne lui coûte rien à contracter ; il ne se sert point d'autres pièges pour attraper les belles, et c'est un épouseur à toutes mains. Dame, demoiselle, bourgeoise, paysanne, il ne trouve rien de trop chaud ni de trop froid pour lui ; et si je te disais le nom de toutes celles qu'il a épousées en divers lieux, ce serait un chapitre à durer jusques au soir. Tu demeures surpris et change de couleur à ce discours ; ce n'est là qu'une ébauche du personnage, et pour achever le portrait, il faudrait bien d'autres coups de pinceau. Suffit qu'il faut que le courroux du Ciel l'accable quelque jour ; qu'il me vaudrait bien mieux d'être au diable que d'être à lui, et qu'il me fait voir tant d'horreurs, que je souhaiterais qu'il fût déjà je ne sais où. Mais un grand seigneur méchant homme est une terrible chose ; il faut que je lui sois fidèle, en dépit que j'en aie : la crainte en moi fait office du zèle, bride mes sentiments, et me réduit d'applaudir bien souvent à ce que mon âme déteste.

TEXTE 3

Beaumarchais, *Le Mariage de Figaro* (1784), acte V, scène 3.

[Le comte Almaviva veut exercer son droit du seigneur, ce qui désigne un droit de cuissage, sur Suzanne, la cameriste de sa femme, qui épouse son valet Figaro. L'épouse délaissée a convaincu sa caměriste de donner rendez-vous à son mari, pour se substituer à elle et ainsi confondre son mari. Mais Figaro ignore cet échange de costume et croit que sa femme Suzanne le trompe avec le comte.]

Figaro, *seul, se promenant dans l'obscurité, dit du ton le plus sombre :*

Ô femme ! femme ! femme ! créature faible et décevante !... nul animal créé ne peut manquer à son instinct ; le tien est-il donc de tromper ?... Après m'avoir obstinément refusé quand je l'en pressais devant sa maîtresse ; à l'instant qu'elle me donne sa parole ; au milieu de la cérémonie... Il riait en lisant, le perfide ! et moi comme

1. **Billevesées :** bêtises.

un benêt... Non, monsieur le Comte, vous ne l'aurez pas... vous ne l'aurez pas. Parce que vous êtes un grand seigneur, vous vous croyez un grand génie !... Noblesse, fortune, un rang, des places, tout cela rend si fier ! Qu'avez-vous fait pour tant de biens ? Vous vous êtes donné la peine de naître, et rien de plus. Du reste, homme assez ordinaire ! Tandis que moi, morbleu ! perdu dans la foule obscure, il m'a fallu déployer plus de science et de calculs, pour subsister seulement, qu'on n'en a mis depuis cent ans à gouverner toutes les Espagnes : et vous voulez jouter... On vient... c'est elle... ce n'est personne. – La nuit est noire en diable, et me voilà faisant le sot métier de mari, quoique je ne le sois qu'à moitié ! *(Il s'assied sur un banc.)*

SUJET

a. Question préliminaire (4 points)

Vous lirez attentivement ces trois extraits de comédies en vous demandant ce qu'ont en commun les portraits de ces trois grands seigneurs et ce qui les distingue les uns des autres.

b. Travaux d'écriture (16 points) – au choix :

Sujet 1. Commentaire.

Vous ferez le commentaire composé du texte 3.

Sujet 2. Dissertation.

Dans un développement argumenté, en vous fondant sur vos lectures personnelles, vous vous demanderez si le théâtre est plus qu'un autre genre littéraire destiné à faire réfléchir les hommes sur les injustices sociales.

Sujet 3. Écriture d'invention.

Sur le modèle du monologue de Figaro, imaginez le monologue d'Arlequin, à la fin de *La Double Inconstance*.

 Documentation et compléments d'analyse sur :
www.petitsclassiqueslarousse.com

Vers le bac

À l' **oral**

Objet d'étude : le théâtre, texte et représentation

Acte II, scène 3.
Sujet : en quoi une telle scène permet-elle de montrer les ambiguïtés de la pièce ?

RAPPEL

Une lecture analytique peut suivre les étapes suivantes :
I. **Mise en situation du passage, puis lecture à haute voix**
II. **Projet de lecture**
III. **Composition de la scène**
IV. **Analyse de la scène**
V. **Conclusion, remarques à regrouper un jour d'oral en fonction de la question posée.**

I. Mise en situation du passage

Un jeune prince a fait enlever une jeune villageoise, Silvia, dont il est tombé amoureux. Mais Silvia a déjà donné son cœur à un garçon de son village, Arlequin. L'amour de Silvia et d'Arlequin est réciproque et pur. Or le prince veut détruire cet amour, et il est aidé dans ce projet par une jeune femme extrêmement habile, Flaminia, qui compte tirer bénéfice de l'aide efficace qu'elle procure au prince, et qui est sûre de parvenir à séparer ceux qui s'aiment. Arlequin arrive dans le palais où Silvia est retenue prisonnière. Flaminia devient l'amie et la confidente des deux villageois que, pour le moment, la promesse d'une vie luxueuse laisse indifférents. Le prince a décidé de faire la conquête de Silvia sous une identité d'emprunt : il se fait passer pour un simple officier du palais. C'est en cette qualité qu'il apparaît

à Silvia dans la scène 2, où Lisette se moque de la campagnarde, celle-ci lui répondant avec beaucoup d'esprit.

II. Projet de lecture

Le marivaudage est loin de n'être qu'un jeu gracieux et mièvre. Dans *La Double Inconstance*, Flaminia invente de sang-froid une manipulation machiavélique destinée à détruire un amour. Dans notre scène 3, où Silvia est confrontée au prince et à la redoutable Flaminia, nous nous intéresserons au thème du théâtre dans le théâtre, le prince y jouant un rôle d'emprunt. Nous montrerons que Marivaux fait en sorte qu'on ne puisse distinguer la vérité du mensonge, ni mettre au jour les motivations de Flaminia. Marivaux entretient sciemment l'ambiguïté, le clair-obscur.

III. Composition de la scène

– Les deux premières répliques sont dans la dépendance de la scène précédente, puisqu'elles achèvent la dispute avec Lisette, en révélant une Silvia emportée et toujours vive.
– Dans un deuxième mouvement, le prince prend la pose de l'amant respectueux, parfait amoureux courtois, devant Flaminia qui intervient pour justifier cet amour (jusqu'à la ligne17).
– Dans un troisième temps, le prince parvient à faire accepter son amour à Silvia, qui passe du refus à l'accord ; les deux personnages se parlent l'un à l'autre et Flaminia est provisoirement exclue de cet échange amoureux (jusqu'à la ligne 31).
– Dans un quatrième temps, nous passons du duo au trio, les deux amoureux, Silvia et le prince, prenant Flaminia pour arbitre et juge (jusqu'à la ligne 44).
– La fin de la scène prépare la sortie du prince, le changement de plateau qui laissera les deux amies, Silvia et Flaminia, face à face.

IV. Analyse de la scène

1. Entre duo et trio, jeux subtils avec l'énonciation interne à la scène

Voici une scène qui pourrait être un duo d'amour, et qui l'est à certains moments, quand Flaminia est exclue de l'espace énonciatif, ce qui met face à face Slivia et son nouvel amoureux. Par l'apostrophe « Belle Silvia » qui ouvre sa première réplique, le prince désigne comme seule destinataire la jeune fille et exclut provisoirement Flaminia. Celle-ci n'est du reste pas complètement la destinataire de la dernière phrase de cette première réplique, puisque l'ordre est donné à Flaminia au subjonctif et à la troisième personne, personne toujours supposée absente de la situation d'énonciation : « Que Flaminia m'écoute » (ligne 14). Si Flaminia avait clairement été la destinataire de cet énoncé, nous aurions eu : « Flaminia, écoutez-moi. » Sans doute cette exclusion conduit-elle Flaminia à prendre un « air naturel », stipulé par la didascalie « un air », ce qui signifie qu'elle joue la comédie, qu'elle se compose une apparence. Les didascalies concernant Flaminia caractérisent fréquemment « l'air » que cette comédienne se compose face aux personnages qu'elle veut manipuler. Flaminia profère deux questions qui n'appellent pas de réponse, des questions rhétoriques par lesquelles elle répond au prince (qui lui a parlé indirectement, à la troisième personne) par un acte de parole indirect : elle fait semblant d'interroger pour affirmer que l'amour que déclare le prince est complètement légitime (ce faisant, elle flatte autant le prince que Silvia). Comme ce sont de fausses questions, elles confirment l'extériorité de Flaminia qui laisse le duo d'amour se dérouler. Jusqu'à la ligne 31, nous assistons à un duo d'amour devant Flaminia, à la fois présente sur scène mais absente de l'espace énonciatif qui n'implique que le prince et Silvia. Ensuite, le prince ouvre l'espace énonciatif et y fait entrer Flaminia, apostrophée d'emblée : « Flaminia, je vous fais juge. » Symétriquement, Silvia s'adresse à Flaminia : « Et moi, je vous fais juge aussi... » Flaminia, dans une seule et même réplique, répond tour à tour aux deux amoureux (lignes 39-41). Enfin, la parole continue de circuler entre les trois personnages présents sur la scène jusqu'au changement de plateau. Cette scène hésite donc entre deux systèmes énonciatifs, l'un qui exclut Flaminia en la posant absente malgré sa présence (notamment par l'usage de la troisième personne, « non-personne » selon É. Benveniste), l'autre qui, au contraire, l'inclut visiblement par l'apostrophe.

2. La subtile présence-absence de Flaminia

Flaminia manifeste ses talents de meneuse de jeu par sa présence constamment attentive et discrète, par l'art avec lequel elle se retire de l'échange à bon escient pour laisser l'amour du prince toucher et atteindre Silvia, et surtout par la subtilité de chacune de ses interventions. Nous avons déjà remarqué qu'elle prenait tactiquement le parti de Silvia contre sa propre sœur Lisette, et qu'elle donnait aux injures valeur de compliments pour apaiser celle dont elle veut faire son amie. Constamment aussi elle libère ce nouveau couple de toute culpabilité. En effet, le prince pourrait se sentir coupable d'avoir enlevé une jeune fille promise à un autre, et Silvia pourrait à juste titre aussi se sentir coupable de ne pas demeurer fidèle à Arlequin, d'écouter les déclarations d'un autre, de les accepter même. D'où l'interrogation rhétorique : « Quel mal faites-vous ? » D'où aussi l'interrogation rhétorique marquant une impossibilité de résistance et libérant de ce fait le prince de toute responsabilité morale : « Ne sais-je pas bien qu'**on ne peut** la voir sans l'aimer ? » (lignes 16-17) Après s'être faite discrète et s'être rendue absente de l'espace énonciatif qui a pu se refermer sur l'intimité des deux amoureux, Flaminia revient dans l'échange verbal, parce que les deux amoureux l'y incitent, parce qu'ils en font leur juge, lui conférant une position d'autorité morale. Cette position surplombante de juge, elle l'a prise auparavant en délestant le couple de la culpabilité qu'il aurait dû ressentir. Et c'est cette même aide que les deux amoureux lui réclament encore. En donnant à ce nouveau couple une vraie légitimité, en posant leur amour comme irrépressible et inévitable (négation affectant le verbe « pouvoir »), Flaminia donne libre cours à ce nouvel amour unissant le prince à Silvia.

3. Les phrases exclamatives, transparentes aux émotions

Toute cette scène est placée sous le signe de l'émotion, qui varie au fur et à mesure que la scène se déroule. Dans les deux premières répliques, l'exclamation révèle la colère à l'encontre de Lisette. On peut s'amuser de la réaction de Flaminia face à celle qui est malgré tout sa sœur : « Voilà une créature bien effrontée ! » Le mot « créature » traduit une mise à distance qui contraste avec la complicité visible dans la scène 3 de l'acte I, où Flaminia chargeait sa sœur de la mission de séduire Arlequin. Dans la première réplique de Silvia qui fait écho à cette exclamation liminaire, Silvia parle en son nom : « Je suis outrée ! » Or, cette colère de Silvia dévoile sa coquetterie : son amour-propre est atteint et elle croit normal de le réaffirmer : « Ne semble-t-il pas que je ne vaille pas bien ces femmes-là ? » Cette interrogation rhétorique permet à Silvia d'affirmer avec force sa valeur, au moins égale à « ces femmes-là ». La phrase suivante lui permet d'aller jusqu'à affirmer sa supériorité : « Je ne voudrais pas être changée contre elle. » Dans la réplique adjacente, Flaminia, par l'interjection « Bon ! », reprend la main. Elle inverse avec une calme autorité les injures en compliments. Pour ce faire, elle n'hésite pas à renier sa sœur dans un méprisant « cette jalouse-là ». Elle se met de la sorte dans le camp de Silvia, contre celui de sa propre sœur, confondue avec les autres femmes de la cour.

Dans la bouche du prince et de Silvia, les exclamations expriment un tout autre sentiment : elles vont révéler l'élan amoureux et sceller, face aux spectateurs, une nouvelle union : « Ah ! que vous êtes obligeante, Silvia ! » L'interjection qui lance l'exclamation ajoute à son expressivité une note émotionnelle qui va bien au-delà de la simple démonstration de politesse que la phrase, si elle n'était que déclarative, signifierait. Silvia commence sa réponse au prince par une interjection exclamative : « Eh bien ! aimez-moi, à la bonne heure ». Là encore, l'acquiescement n'est pas posé, mais emporté. L'expression « à la bonne heure » achève de dévoiler le transport amoureux : Silvia est plus émue qu'elle ne croit le laisser paraître. La déclaration du prince la bouleverse visiblement, et ses sentiments débordent au-delà de ce qu'elle croit dire.

4. Une syntaxe souple, qui imite le langage naturel

Nous avons vu le rôle des interjections, que Marivaux affectionne, parce qu'elles ajoutent du naturel autant que de l'émotion. Il faut aussi observer les choix syntaxiques et lexicologiques du dramaturge. Dans cette scène, le lexique est simple, même celui dont use le prince pour dire tout son amour à Silvia. Observons que les mots du prince lui permettent de prendre d'emblée, face à Silvia, la pose de l'amoureux courtois, tout dévoué à son aimée, une pose qu'il gardera constamment dans la pièce, au point de nous faire oublier son exaction de départ. Nous relèverons notamment les expressions « pénétré de respect pour vous », « reconnaître notre souveraine ». Ce vocabulaire appartient à la tradition de l'amour courtois. Quant aux répliques de Silvia, elles sont syntaxiquement faites de propositions connectées de telle sorte qu'on puisse suivre la vive et changeante pensée de la locutrice : « Et moi, je voudrais qu'il ne m'aimât pas, **car** j'ai du chagrin... **Encore si** c'était un homme... ; **mais** il est trop agréable **pour qu'**on le maltraite, lui : il a toujours été comme vous le voyez. » La phrase feint de rejeter l'amour du prince (mais le subjonctif déréalise ce rejet), et la deuxième proposition se coordonne comme une cause (« car »). La deuxième phrase commence par une concession supposée (« Encore si »), à laquelle s'enchaîne par coordination une opposition (« mais »). On observera le détachement, en fin de proposition, du pronom personnel désignant le prince à la troisième personne : « lui ». Ce détachement imite la langue orale quotidienne et ajoute au naturel du style tout en distinguant le prince comme un homme à part..., un homme qu'on ne peut s'empêcher d'aimer...

V. Conclusion

Marivaux est en quête de naturel. Il use d'une syntaxe et d'un lexique qui effacent toute distance entre les conversations de la vie ordinaire et celles représentées sur scène. Ce naturel est pourtant le résultat d'un art des plus consommés. Rien n'est laissé au hasard et le dramaturge joue habilement avec l'énonciation, qui inclut ou exclut Flaminia, et qui toujours révèle aux spectateurs plus que les personnages ne croient dire. De la sorte, les spectateurs, tout comme Flaminia, sont en position surplombante ; ils sont « juges » de la naissance d'un nouvel amour qui en détruit un plus ancien, du passage d'un amour adolescent à un amour sans doute plus mature et peut-être plus vrai. A-t-on vraiment le droit de se renier, d'être parjure, inconstant ? Tout est-il permis à ceux qui s'aiment ? Est-ce vers un libertinage intellectuel que Flaminia nous entraîne ? La pièce annonce-t-elle Laclos et Sade ? Ou bien l'inconstance doit-elle s'y lire comme une épreuve initiatique, permettant aux uns de retrouver une innocence perdue, aux autres de gagner en sagesse ? La pièce demeure ambiguë et cette ambiguïté en fait l'étonnante modernité.

Documentation et compléments d'analyse sur :
www.petitsclassiqueslarousse.com

Vers le bac

Outils de lecture

Action
Elle est produite par l'intrigue théâtrale, c'est-à-dire par l'ensemble des événements et des actes de parole qui forment une histoire.

Adjuvant
Personnage qui aide. Ce terme a pour antonyme « opposant ».

Antiphrase
Expression dont le sens en contexte s'oppose au sens en général. L'ironie se marque dans un texte par des antiphrases ; l'ironie produit des antiphrases.

Aparté
Réplique qu'un personnage est censé dire à l'insu des autres personnages pourtant présents sur scène.

Commedia dell'arte
Désigne une comédie qui en Italie reposait sur un canevas à partir duquel les comédiens improvisaient.

Connecteurs
Mots (conjonctions ou adverbes) qui servent à organiser un discours, un texte, une réplique. Il existe des connecteurs spatio-temporels et des connecteurs logiques ou argumentatifs.

Coup de théâtre
Renversement brusque et inattendu de la situation théâtrale (plus fort qu'une simple péripétie).

Dénouement
Ultime péripétie par laquelle la pièce s'achève.

Didascalie
Ensemble des indications pour la mise en scène. Elles apparaissent dans le texte en caractères italiques.

Dramaturgie
Ensemble des éléments de composition (structure) et d'écriture qui sont spécifiques au théâtre.

Drame
Étymologiquement, « action », en grec. C'est au XVIIIe siècle le nom donné à un genre héritier de la comédie larmoyante qui vise le pathétique.

Euphémisme
Expression adoucie d'une réalité trop crue. Figure de rhétorique qui vise l'atténuation.

Exposition
Partie au début de la pièce dans laquelle sont exposés les éléments de base de l'intrigue, et dans laquelle les personnages principaux sont rapidement présentés.

Farce
Pièce qui utilise des procédés voyants pour faire rire.

Humour
Façon plaisante de présenter la réalité, d'utiliser les mots pour susciter un sentiment

euphorique. Chez Marivaux, l'humour se fonde sur la double énonciation théâtrale.

Hyperbole
Figure de rhétorique qui vise l'exagération, l'outrance.

Ironie
Figure de pensée laissant entendre à celui à qui on s'adresse qu'on ne pense pas ce qu'on dit. L'ironie vise à railler.

Lazzi
Dans la *commedia dell'arte*, plaisanterie ou jeu de scène burlesque.

Litote
Figure de rhétorique qui dit le moins pour exprimer le plus, qui passe par la négation pour affirmer.

Malentendu
Confusion sur des mots mal compris par certains personnages (à distinguer du « quiproquo »).

Monologue
Tirade qu'un personnage dit seul sur scène.

Pantomime
Art théâtral où la gestuelle remplace les mots.

Pastorale
Texte mettant en scène des bergers et des bergères.

Pathétique
Registre qui se fonde sur l'émotion.

Péripétie
Événement imprévu qui fait rebondir l'action théâtrale.

Périphrase
Désignation de quelqu'un ou de quelque chose par sa définition.

Préciosité
Mouvement littéraire du milieu du XVIIe siècle qui recherchait le raffinement, dans l'expression des sentiments. Au XVIIIe on parle de nouvelle préciosité, notamment pour Marivaux.

Quiproquo
Confusion sur un personnage.

Satire
Texte railleur qui attaque les vices d'un homme ou d'une société. La satire de mœurs est destinée à vilipender les mœurs de certains.

Stichomythies
Répliques vers à vers. Par élargissement de sens, répliques très brèves qui se succèdent à vive allure.

Tirade
Réplique qui se détache des autres par sa longueur.

Utopie
Étymologiquement, « non lieu », en grec. Pays merveilleux imaginé par l'Anglais Thomas More, lieu imaginaire idéal.

Bibliographie et filmographie

Éditions savantes

- ARLAND Marcel, *Marivaux, Théâtre complet*, Gallimard, « Bibliothèque de la Pléiade », 1964.
- DELOFFRE Frédéric et RUBELLIN Françoise, *Marivaux, Théâtre complet*, tome I, Le Livre de Poche, « Classiques Garnier », 1989.

Sur le théâtre de Marivaux

- ARLAND Marcel, *Marivaux*, Gallimard, 1950.
- COULET Henri et GILOT Michel, *Marivaux, un humanisme expérimental*, Larousse, coll. « Thèmes et textes », 1973.
- DEGUY Michel, *La Machine matrimoniale ou Marivaux*, Gallimard, 1981.
- DELOFFRE Frédéric, *Une préciosité nouvelle. Marivaux et le marivaudage*, Les Belles Lettres, 1955.
- DESCOTES Maurice, *Les Grands Rôles du théâtre de Marivaux*, PUF, 1972.
- GAZAGNE Paul, *Marivaux*, coll. « Écrivains de toujours », Le Seuil, 1986.
- POULET Georges, *Études sur le temps humain*, tome II, « *Marivaux* », Plon, 1952.
- ROUSSET Jean, *Forme et signification*, « Marivaux ou la structure du double registre », José Corti, 1962.
- RUBELLIN Françoise, *Marivaux dramaturge*, Champion, coll. « Unichamp », 1996.

Filmographie

- Théâtre filmé : *La Double Inconstance*, mise en scène de Marcel Bluwal, SFP, 1968.
- LECONTE Patrice, *Ridicule*, 1996, avec Charles Berling, Fanny Ardant, Judith Godrèche, Jean Rochefort, Bernard Giraudeau.
- ROHMER Éric, *L'Anglaise et le Duc*, 2001, avec Lucy Russel, Jean-Claude Dreyfus, Marie Rivière.

Crédits photographiques

Direction de la collection : Carine GIRAC - MARINIER

Direction éditoriale : Claude NIMMO

Édition : Marie-Hélène CHRISTENSEN

Lecture-correction : service lecture-correction LAROUSSE

Recherche iconographique : Valérie PERRIN, Agnès CALVO

Direction artistique : Uli MEINDL

Couverture et maquette intérieure : Serge CORTESI, Sophie RIVOIRE, Uli MEINDL

Responsable de fabrication : Marlène DELBEKEN

Photocomposition : CGI
Impression : La Tipografica Varese Srl (Italie)
Dépôt légal : Décembre 2008 – 302296/04
N° Projet : 11020447 – Janvier 2015